D0589701

LE CŒUR A SES RAISONS

PAUL TOUPIN

de l'Académie canadienne-française

Le cœur a ses raisons

LE CERCLE DU LIVRE DE FRANCE

8955 Boulevard Saint-Laurent, Montréal 354

DÉPÔT LÉGAL: 4ème trimestre de 1971

Bibliothèque nationale du Québec

Le Conseil des Arts du Canada
a subventionné la publication de cet ouvrage.

ISBN - 7753 - 0011 - X

À Andrée,
en témoignage de mon
amitié.

Avant-propos

*Le temps est partial et ne favorise personne ;
il traite quiconque comme il l'entend. La jeunesse
n'en soupçonne pas l'invisible présence et l'asso-
cie à l'avenir alors que la vieillesse qui subit son
joug le nomme le passé. Dans l'intervalle, la cin-
quantaine sonne à toute volée pour annoncer que
les bienfaits de la santé et des plaisirs sont désormais comptés. L'organisme fonctionne encore,
certes, avec de bonnes reprises, mais aussi avec
des ratés plus fréquents et plus perceptibles. C'est
souvent l'hôpital. Qui a failli mourir ne voit plus
les êtres et les choses d'un même œil, car la mort
qui diminue la valeur des choses augmente celle
des êtres. Et l'on finit par savoir que la vie, ce
peut être l'amour, l'amitié, un chagrin ; ce n'est
jamais l'intelligence, le bon sens, l'argent, la cul-
ture, le savoir.*

*« Je ne suis plus que le temps » écrit
Chateaubriand, à quatre-vingts ans. C'est bien
avant que le temps nous assimile. Mais il
importe peu qu'un visage ne soit plus beau,
qu'un regard se ternisse, qu'un corps déchoie.*

L'essentiel est d'échapper à l'avilissement de l'ennui, l'ennui qui a toujours été le plus fort de mes penchants, et si j'y résiste encore, j'y cède de-ci de-là jusqu'à ne plus croire en grand-chose. Quelle ambition m'appelle? Quel titre n'est ridicule? (Et les récompenses et les honneurs donc!) Moi qui, hier encore, étais objet de chirurgie, ce qu'il me reste à vivre n'est que sursis. J'en profite, avant que la mémoire n'oublie et que l'esprit ne se gâtifie pour revoir tels qu'ils furent les êtres que j'ai connus.

Ils appartiennent à deux espèces opposées: l'une venue des ténèbres pour m'y entraîner, ce qui était facile puisque ma part ténébreuse, et qui n'a la sienne? leur était acquise d'avance; l'autre, venue de la lumière pour m'éclairer, ce qui était difficile, car je tenais à mes ombres, et qui n'y tient pas? Et si les êtres de ténèbres sont retournés à néant, ceux de lumière n'ont cessé de m'éclairer, même ceux qui sont déjà dans cet au-delà auquel ils croyaient et qui doit les décevoir moins que l'ici-bas. De ces êtres, trois surtout ont marqué ma vie: trois femmes différentes par la naissance, le milieu, le rang et la fortune, mais toutes trois semblables par le cœur qui fut leur raison de vivre. C'est pourquoi je les ai réunies ici. *Que l'on ne s'étonne pas que je parle d'elles différemment, ce qui n'a pas été sans labeur. Ce livre, plus que les précédents dont il forme la suite, commencé dans l'enthousiasme, je l'aurais abandonné si j'avais pu en prévoir les difficultés. Je m'éveillais la nuit pour en corriger les défauts. Hélas ! il en subsiste encore. Perfection est un mot de dictionnaire ; imperfection est un mot de création. Et si des étudiants me lisent, qu'ils se persuadent bien que je me conteste depuis longtemps ; je dresse contre moi des barricades avec le ramassis de mes illusions ; ma vie en est jonchée. Que ce soient amours, amitiés, aventures, tout est fortuit, même la satisfaction d'évoquer, fût-ce un instant, ce qui le méritait.*

Didi

C'est le surnom que donnèrent à une servante de ma famille trois générations d'enfants qu'elle éleva comme s'ils fussent les siens, Didi devait beaucoup à ses origines gaspésiennes.

La Gaspésie est une péninsule. L'Atlantique-nord, par sa toute puissance, en a monté le décor, réglé l'éclairage, déterminé le climat, fourni la végétation. Le paysage tient à la fois du grandiose que l'océan confère à ce qu'il environne et du rabougri par la tyrannie qu'impose sa présence ; paysage né bien avant l'homme et qui lui survivra par l'infini de son étendue, l'illimité de son horizon et le mouvement perpétuel des marées. Sur le littoral de la côte sud, la mer, en se retirant de ce qu'elle submergeait, a laissé à découvert des rochers, des récifs qu'elle recouvre par mauvais temps. La nature, sauvage, dure, n'a rien d'accueillant. Le ciel bas et couvert est plus souvent sombre que bleu ; l'automne empiète sur l'été et s'attarde en jours pluvieux, froids et venteux. Durant la belle saison, qui dure à peine deux mois, les vacanciers assez coura-

geux pour oser le bain de mer en ressortent fris-
sonnants et courent se sécher.

Le village où naquit Didi vivait surtout de
pêche. Comme tous ceux de la côte, il était pauvre, de cette pauvreté sans appel, irrémissible,
sauf aux politiciens qui s'y font élire, car la pauvreté élit ceux qui l'exploitent. Les illusions étant
aussi nécessaires au soutien moral de la population que le sont à son hygiène les services d'utilité
publique, de gigantesques panneaux publicitai-
res de Coca-Cola, de Shell, de Texaco ornemen-
tent laideusement la route et rappellent à qui
l'oublierait que le village est en voie de progrès.
Dans l'expectative de ce progrès, l'on vit parce
qu'il le faut bien et que l'on est trop chrétien
pour se désespérer ; on vit des jours qui semblent
des semaines, des semaines qui durent des
mois et des mois qui paraîssent des années
dont toutes se ressemblent. Il n'est que de
causer avec les villageois pour entendre au-
delà de leurs paroles la tonalité plaintive de
ce qu'ils sont ; si l'on est étranger, citadin
surtout, comme ils nous envient cette « Chance » qui ne leur a pas été donnée ! Le village porte néanmoins le nom de Cap d'Espoir,
sans doute parce que s'élève à l'extrémité d'un

cap tout en falaises un phare qui devait être le
rayon d'espoir pour tout navigateur ou marin
perdu dans la brume et la nuit. Le village s'appelle aussi Cape Cove, ce qui prouve que le bilinguisme a existé avant les gouvernements. Si des
familles anglophones à noms français voisinent
avec des familles francophones à noms anglais,
c'est que leurs ancêtres, fuyant les persécutions
religieuses qui sévissaient contre les protestants
de France et les catholiques d'Angleterre, presque tous Irlandais, fréquentèrent l'école non de
leur langue mais celle de leur religion, et cette
école était française, comme était anglaise celle
des protestants de France. N'oublions pas qu'il
fut un temps où Dieu importait plus que César,
et le salut de l'âme plus que celui de la langue.
Le fait religieux primait le fait linguistique. Ainsi
rencontrait-on à Cap d'Espoir des de Cruchy
d'ascendance française mais anglophones parce
qu'huguenots et des Collins francophones parce
que catholiques. Didi, de sang irlandais, n'attachait nulle importance à l'anglais ou au français.
À son sujet, c'est plutôt de religion maternelle
qu'il faudrait parler. Son cas, qui n'est pas unique, dément ce vieux préjugé enraciné dans le
fanatisme et qui veut que foi et langue se conser-
vent mutuellement. Où, quand, comment, la foi

se fit-elle gardienne d'une langue et la langue, gardienne d'une foi? Ni l'une ni l'autre n'empêchèrent les événements de les déborder. Et si « toujours, l'inattendu arrive », cet inattendu fixa le destin de Didi.

Mon père, jeune médecin, était allé s'établir en Gaspésie. La médecine, avant la première grande guerre mondiale, s'exerçait comme un sacerdoce ; elle l'était, et il fallait l'enthousiasme de la jeunesse autant que le zèle d'un néophyte pour la pratiquer dans un village situé aux confins du pays. À l'époque, un médecin de campagne ressemblait, en petit ou en grand, à celui si admirable de Balzac. À Cap d'Espoir, son activité ne fut pas que médicale. L'on ne veille pas à la santé d'une population sans s'intéresser à son bien-être et à son sort. Ainsi obtint-il du gouvernement, après évidemment mille démarches, qu'un petit port et qu'une jetée fussent édifiés ; — il assuma la direction des travaux — et que se prolongeât jusqu'à Percé le chemin de fer dont Chandler était le terminus. Longtemps après sa mort, quand je passai à Cap d'Espoir, la considération avec laquelle me reçurent ceux qui avaient connu « le docteur », me laissa présumer qu'on l'estimait grandement. Il n'était pas hom-

me à se hausser sur des échasses, ni à tirer vanité
de sa profession. Son abord facile, cordial, le mettait de plain-pied avec tous. Il se lia d'amitié
avec le curé. Lorsqu'on se retrouve, beau temps
mauvais temps, au chevet des mêmes malades,
que l'on est témoin des mêmes misères, conso-
lateurs des mêmes épreuves, comment ne pas devenir amis? Ensemble, ils réussirent à empêcher
un scandale. Un village, fût-il de Gaspésie ou
d'ailleurs, reste un village, soit un lieu où chacun
tient à sa réputation comme à la prunelle de ses
yeux et où les membres d'une même famille sont
solidaires de la même respectabilité. Or, une jeune servante, ayant consulté mon père sur certains
malaises qui s'avéraient ceux d'une grossesse
avancée, menaçait de se suicider afin d'échapper
à l'opprobre que son état lui faisait appréhender.
Être enceinte quand on est mineure et célibataire, devoir donner naissance à un enfant naturel,
et vivre le reste de sa vie chez ses parents avec
cet enfant, et cela dans un village, il y avait de
quoi désirer se détruire. Il fallait donc agir vite
et bien. Il ne pouvait être question de l'avorter,
l'avortement étant jugé criminel et l'avorteur,
traîné devant les tribunaux pour y répondre de
son meurtre. Tout, heureusement, s'arrangea.
Personne ne perdit son honneur et la jeune dé-

sespérée ne se suicida pas. Son accouchement eut
lieu à Montréal. Quant à son départ précipité,
l'explication qu'en fournit mon père ne fut pas
suspecte puisque c'était, disait-il, sur ses conseils
que la jeune fille était allée travailler à la ville
où il lui avait trouvé un emploi. En compensation
du peu d'argent qu'elle donnait à sa famille, il
prit à son service la sœur cadette qui n'avait pas
vingt ans. Elle s'appelait Suzanne ; ce fut notre
Didi.

Didi ne sut rien de la mésaventure de sa
sœur et personne ne fut assez cruel pour la lui
révéler. Nous l'apprîmes en un temps et à un
âge où ce qui nous scandalisa fut que l'opinion
publique, s'appuyant sur la bêtise et l'incompré-
hension, ses deux piliers, condamnât à la dam-
nation éternelle une jeune fille déjà victime d'un
Don Juan de village. Si sa sœur n'avait pas fauté,
comme on disait alors, si elle n'avait pas fait
l'amour, comme on dit aujourd'hui, car la société
modifie sa vindicte et réprouve ses jugements
passés, nous n'aurions pas connu Didi dont la
vie eût été tout autre. Comme quoi les consé-
quences d'un acte sont sans rapport avec sa nature et que s'enchaînent d'eux-mêmes les faits
qui s'ensuivent.

Grâce à l'imprudente étourderie de sa sœur, Didi quitta sa famille pour la nôtre. Mais de sa famille, elle conserva le même air ; le même regard glauque si particulier aux riverains de la mer et qui en est comme la réverbération ; la même taille, petite et ramassée. Elle se tenait légèrement penchée comme tant de ses parents et grands-parents qui, de leurs barques, s'étaient penchés sur leurs filets. Il y a une attitude et un regard plus héréditaires encore que ne le sont la couleur des cheveux, le timbre de la voix. La mer, en échange de sa rudesse et de sa violence, gratifie ceux qui vivent d'elle d'une douceur et d'un calme que n'ont pas les terriens. Les manières frustes sont souvent l'écorce de la plus vive sensibilité. Didi avait le geste brusque, mais cette brusquerie cachait une émotivité telle qu'un rien la faisait pleurer. Elle avait aussi une distinction naturelle. Chez elle, nulle vulgarité. Elle se montra parfois effrontée dans ses colères, mais jamais grossière. Ses réactions étaient celles d'un être primitif. Son comportement face à la nature était défensif comme il l'est invariablement chez un être sans défense. Elle craignait l'eau, l'air et le feu. Elle s'épouvantait de ce que nous nous baignions en eau pourtant peu profonde. Et si le

vent se levait, elle se levait aussi pour baisser les
jalousies et fermer les volets. Les orages la ter-
rorisaient ; au moindre coup de tonnerre, elle
suppliait mes parents de couper l'électricité, et,
pour ne pas voir d'éclairs, s'enfermait dans sa
chambre, rideaux tirés, dans l'obscurité totale,
avec l'épagneul qui tremblait autant qu'elle. Les
nuits de grand froid, l'hiver, elle ne dormait pas ;
comme un fantôme, elle errait de chambre en
chambre, nous réveillant pour savoir si nous dor-
mions et nous demandant de dormir si nous
étions éveillés, non sans constater que rien n'é-
tait en feu. Maintes fois elle descendait à la cave
pour voir si la chaudière surchauffée n'explose-
rait pas.

Elle détestait tout ce qui lui rappelait le silence de la campagne et la rumeur de la mer.
C'est avec répulsion qu'elle nous accompagnait
à la villa de nos grands-parents où nous passions
les vacances d'été. Avec quelle joie, lorsqu'en
septembre, il nous fallait rentrer en classe, elle
revenait à la ville ! Tout l'enthousiasmait, l'émerveillait: le bruit, la circulation, les tramways, les
autos, les magasins, la foule. Montréal fut sa découverte du Nouveau Monde. Quand elle y arriva, elle en imagina, des choses ! Des calorifères

placés sous les couvercles des bouches d'égout réchauffaient les rues où ne passaient que des gens riches, polis, élégants. Il n'y avait pas plus résidentiel que le quartier que nous habitions, celui du « Carré Saint-Louis ». Devenue Montréalaise, elle reniait sa Gaspésie. Fille et petite-fille de pêcheurs, elle avait horreur du poisson ; son enfance, il est vrai, en avait été gavée, et du moins bon, le meilleur étant réservé au marché ou à la mise en conserve. Si le vendredi, elle en mangeait, c'était du bout des lèvres, par pénitence et en observance d'un commandement de l'Église qui interdisait de faire gras ce jour-là.

Cependant, si ses réactions s'expliquent et se motivent, la mutation qui lui donna, à elle qui était vieille fille, une sorte d'instinct maternel, demeure inexplicable. Les enfants la prenaient souvent pour leur vraie mère ; ne les considérait-elle pas comme ses enfants? Les aimait-elle par-ce qu'elle en désirait? Sublimation, transfert, projection, identification n'éclaircissent en rien le phénomène. De constitution normale, elle ne souffrait d'aucune difformité. Naïve, oui, et can-dide, mais pas au point de se figurer, comme l'Agnès de Molière, que les enfants se font par l'oreille. Elle avait sûrement vu comment s'unis-

sent les sexes ; les animaux n'ont pas l'habitude
de se gêner pour s'accoupler ; les chiens le font
en plein salon et séance tenante. La nature procède sans pudeur comme sans inhibition. Eût-
elle eu des enfants, je doute qu'elle les eût aimés
plus que nous. Nos rires la faisaient rire et nos
larmes pleurer. Nos joies, nos chagrins, nos
deuils étaient les siens. Et, symptôme révélateur,
son amour était aussi exclusif que celui d'une
mère. Elle n'aimait pas « les enfants des autres »,
entendant par là les enfants qu'elle n'élevait pas;
elle les jugeait infailliblement gâtés, leur inventait des défauts et même les calomniait. D'un
cousin quelque peu turbulent et qui partageait
nos jeux, elle disait: « Ah ! si cet enfant m'appartenait, si j'étais sa mère, il en mangerait une
volée ». Et les menaces continuaient. Mais comme l'enfant ne lui appartenait pas et qu'elle n'é-
tait pas sa mère, il ne « mangeait pas de volée ».
Elle eut été bien incapable de le battre. Elle ne
nous punissait jamais, ne rapportait aucun de
nos mauvais coups et parlait de nous comme si
nous étions des anges. Son exclusivisme amoureux la rendait jalouse et envieuse. Nous seuls
avions droit aux succès, aux premières places. Je
crois même qu'elle conseilla à mon frère de tri-
cher aux examens pour mieux les réussir. Mes

beaux-frères, parce qu'ils avaient épousé mes
sœurs, étaient par le fait même devenus à ses
yeux des hommes remarquables. Et si elle débi-
nait tous ceux qui n'étaient pas de la famille,
qu'est-ce qu'elle ne disait pas des bonnes d'enfants? C'étaient des paresseuses, des dépensières,
des voleuses. Celle que ma mère employa pour
l'aider ne resta pas trois jours car, durant
ces trois jours, Didi lui fit une vie d'enfer.
Elle ne voulait pas « d'étrangère » dans la
maison. Et malheur à qui ne nous aimait pas !
C'était la guerre ouverte à quiconque n'admettait
pas que nous étions beaux, intelligents, sages,
« bien élevés », doués de toutes les qualités ima-
ginables. Nous querellions-nous avec d'autres
enfants qu'aussitôt Didi prenait notre parti. Un
voisin d'un certain âge secoua un peu mon frère
qui lui avait lancé au visage une boule de neige.
Didi, qui l'avait en haute estime, ne le lui par-
donna pas et parla de le dénoncer à la police,
« personne n'ayant le droit de toucher aux enfants des autres ». La saluait-il qu'elle passait
tête haute. Par contre, qui nous complimentait
méritait tous les éloges, et il n'y avait pas plus
« monsieur » ni plus « madame » que la personne qui s'informait de notre santé ou qui nous
félicitait d'être si « bien élevés ».

Sans doute, certains lecteurs la jugeront inconséquente de s'être attachée à des enfants qui n'étaient pas les siens. Mais s'attacher n'est-il pas toujours inconséquent? Toutefois, c'est souvent dans les servitudes de l'attachement qu'un être se dépasse et que ce qu'il fait confine à l'impossible. C'est ce que fit Didi. Et plutôt que d'admirer certains grands personnages illustres par leurs folies, en quoi l'humanité est bonne pourvoyeuse, je préfère admirer une femme qui ne fut ni névrosée, ni visionnaire, ne causa de mal à personne, et dont la folie, si c'en est, fut la bonté. Je ne la canonise pas ; en sainteté, je n'ai nulle compétence, ma vie n'étant pas celle d'un saint. Des défauts, elle en avait de nombreux et d'évidents, dont celui d'une susceptibilité extrême. La vaisselle faisait les frais de ses sautes d'humeur. Ce qu'elle a pu casser d'assiettes ! Mais c'est à son évier qu'elle adressait les plus virulents apartés. Il fallait alors l'entendre parler français. C'était rudimentaire, fautif, mais combien expressif !

L'avait-elle jamais étudié? Elle le lisait mais ne pouvait l'écrire. À l'école, c'est le catéchisme et l'histoire sainte qu'on lui avait surtout enseignés. Au récit de Jonas dans la baleine, j'imagine

qu'elle dut regarder par la fenêtre de la classe
et inspecter l'horizon pour la voir, cette même
baleine, lancer ses jets d'eau. Elle parlait un français appris par oreille. Le genre, le nombre, c'é-
tait du pareil au même. Les règles grammaticales
lui étaient d'insondables mystères. Elle inventait
son vocabulaire. Il fallait, après avoir fait pipi,
bien fermer sa « porte », soit sa braguette. Littré
définit le *kiki* la gorge. Didi localisait le *kiki* plus
bas. Et jamais un petit garçon ne devait montrer
à une petite fille son « petit kiki ». Elle déformait
la phonétique. Pour elle l'Europe était « l'Ereu-
pe » ; la Prusse, « la Prussie » et les Russes, les
« Russiens ». Elle situait Paris qu'elle pronon-
çait à l'anglaise, avec multiplication de s, quelque
part en « Éreupe » ses notions de géographie
étant aussi fantaisistes que celles de son lexique.
Il y avait certains mots auxquels elle attachait
un sens péjoratif et qu'elle ne disait jamais ;
chienne était de ces mots-là. L'épagneul de la
maison, femelle qui n'avait jamais eu de chiots,
n'était pas une chienne mais une « mère ». Pour
les mots crus, elle utilisait l'anglais comme si, par
exemple, le mot « ass » fût plus euphémique que
fesses. Ses phrases défiaient toute logique, surtout celles qui, commencées en français, se ter-
minaient en anglais. Le sens en était approxima-

tif et il fallait le deviner. Un linguiste en eut été
stupéfié. Un camarade de collège déjà cuistre, on
est cuistre à tout âge, outré de ce que Didi ne le
vouvoyait pas, s'en plaignit à mon père. Plainte
perdue puisque mon père encouragea Didi à
tutoyer de plus belle le plaignant, car pour elle,
le tutoiement valait le vouvoiement.

Comment aurait-elle su ce qui ne lui avait
jamais été enseigné? Inculte, presque analpha-
bète, ayant abandonné l'école à douze ans pour
déjà travailler, elle exprimait l'essentiel de ce
qu'elle avait à dire dans une langue qui ne
s'apprend nulle part, ni dans les livres ni
par l'étude, et que seuls les enfants enten-
dent et comprennent. Elle trouvait avec les
mots l'accent qu'il fallait pour endormir, consoler, cajoler, gronder. Dommage qu'elle n'ait
pas transmis ce savoir aux auxiliaires des
Maternelles! savoir par trop personnel pour
être transmissible et trop inné pour être pé-
dagogique. Quelle puériculture moderne obtien-
drait qu'en un instant se taise un enfant criant à
tue-tête? C'était pour elle très facile; elle n'avait
qu'à le prendre dans ses bras et à lui parler. Cer-
taines personnes ne comprenant rien à son langage le mettaient au compte de l'infantilisme de

sa mentalité ; en quoi elles se trompaient, car se faire obéir d'un enfant suppose qu'on en connaît le caractère. Elle possédait en outre ce don si rare de soi qu'aucune science n'inculque et ne diffuse ; ou c'était plutôt ce don qui la possédait puisqu'elle n'avait pas conscience de l'avoir, tels ces prodiges qui ne se doutent pas du génie qui les habite. Son humble vie de servante prend un éclat que rien ne peut ternir, une grandeur que rien ne peut diminuer. Sur elle, la malice est sans prise, et toute moquerie serait de la gouaillerie, car on ne peut se moquer de soixante ans d'affection et d'attachement avec tout ce que cela représente de fidélité, loyauté, dévouement prodigués sans arrière-pensée de récompense, de retour. Savait-elle même ce qu'était une récompense, sauf lorsqu'elle en promettait aux enfants? Ce ne sont pas ses modestes gages, les eût-elle accumulés, qui pouvaient assurer ses vieux jours. À son époque, la sécurité sociale ne constituait pas encore un thème électoral. Lui restait sa pension de vieillesse, insuffisante, et à laquelle ma mère ajoutait. Des vacances? Elle n'en prit jamais et quand ses quatre-vingts ans l'obligèrent à la retraite, ce fut non pour se reposer, mais pour mourir.

Elle aimait les enfants pour eux-mêmes, différente en cela de ces mères possessives qui se posent en bénéficiaires égoïstes de leur amour, et des amants qui n'aiment que parce qu'ils sont aimés. Son amour était durable et permanent, sans fluctuation nerveuse parce que décanté de toute passion de soi, car c'est toujours soi que l'on aime de l'aimé ; c'est soi que l'on cherche, trouve et rejette. Aussi ne craignait-elle pas d'offrir son amour à l'ingratitude naturelle de l'enfance. Les soins, les veilles, les inquiétudes, les angoisses, les déceptions contenues, les joies simulées, tout ce que coûte une seule affection laisse supposer que la sienne était inépuisable puisqu'elle la dispensât non pas à un enfant, mais à plusieurs, et l'étendît à trois générations. Lorsqu'une de mes nièces épousa un Juif pratiquant, sa puissance d'affection l'emporta encore sur sa foi profondément scandalisée et s'attacha autant à ceux qu'elle appelait « mes petits Juifs » qu'à nous.

L'une de ses tâches, et elle l'accomplissait avec désinvolture, consistait à baigner l'épagneul de la maison, le même qui aimait tant mon père qu'il ne lui survécût pas. C'était un très beau chien qui, comme tous ceux de sa race, se laissait

flatter des heures durant. De plaisir, il fermait
ses yeux mélancoliques, les rouvrait, plus mélancoliques encore, pour les refermer ; c'était
presque de la pâmoison. Il nichait sous une table
de cuisine, aux pieds de Didi qui lui adressait de
longs monologues auxquels il répondait par petits jappements. Était-ce à cause de ses rhuma-
tismes — les animaux de race sont si délicats —
qu'il craignait l'eau? Didi prétendait que depuis
le Déluge, poissons exclus, tout animal a peur
de l'eau, surtout les chiens qui, sur l'arche de
Noé, étaient en très grand nombre. Toujours est-
il qu'à l'heure du bain, il était introuvable. Sa
prémonition le faisait se cacher. Nous finissions
néanmoins par le trouver, sous un meuble, aplati
derrière un lit, contre le mur. De là, il fallait,
pour qu'il ne s'échappe, le porter dans nos bras
jusqu'à une grande cuve à lessive dans laquelle
on le laissait choir. Ce qui se passait alors est
indescriptible. La pauvre bête s'imaginait-elle
qu'on allait la noyer? Elle se débattait de ses
quatre pattes en nous éclaboussant. Il fallait la
voir : la queue collée au derrière, ses longues
oreilles comme de la ficelle, la teinte chocolat de
son poil recouvert d'écume savonneuse. Et commençait l'interminable supplice qui se déroulait
en trois phases: celle du savonnage — et Didi

avait la main vigoureuse — ; celle du rinçage ;
et, la plus douloureuse, qui était la troisième:
celle du séchage. Didi, avec une grande serviette,
se déployait en gestes comparables à ceux qui se
pratiquent pour ranimer un noyé. Ainsi frotté,
le chien soufflait si fort qu'il s'étouffait. Restait
le brossage. Lui, si doux, devenait presque en-
ragé de ce que les durs crins d'une brosse démê-
lassent ses poils, surtout ceux de ses très sensi-
bles oreilles. Et le bain se terminait sur un coup
de théâtre dont le comique nous surprenait toujours. Dès que Didi disait, en lui rendant sa
liberté: « Bon ! c'est fini, cesse de grogner »
alors il bondissait, gueule ouverte pour lui mor-
dre la main, mais, aussitôt, honteux de son ré-
flexe, détalait ventre à terre pour ne revenir à la
cuisine qu'après avoir longtemps boudé sa tor-
tionnaire qui n'avait qu'à le flatter un peu pour
l'amadouer jusqu'au prochain bain.

Dans une toute autre tâche, celle de préparer
les repas, elle était déplorable. Ma mère avait
bien essayé de lui montrer un peu de cuisine.
Rien à faire. La cuisson lui demeurait une énigme. D'ailleurs, elle n'appréciait pas un plat à sa
saveur mais à sa quantité. Un bon rosbif devait
être énorme ; le filet le plus tendre, le plus épais.

En tranches minces, la viande n'était plus fraîche. Il lui était égal de manger chaud, tiède, froid. Elle cuisinait pour elle seule d'incroyables « gibelottes » qui tenaient du ragoût, de la fricassée, du pot-au-feu, du bouilli, et fortement assaisonnées. Nous lui jouions le mauvais tour de déverser dans son assiette encore du sel et du poivre. Après avoir goûté, elle disait: « J'ai trop salé et poivré, mais c'est bon ». Son estomac était à toute épreuve. Elle ne comprenait pas qu'on put souffrir du foie et mal digérer.

Si les années ne la rajeunissaient pas, elles ne la vieillissaient pas davantage ; son âge semblait stationnaire. Sa santé se fortifiait à se dépenser, à s'oublier, car, comme en tout, sa santé c'était celle des autres. En un mot elle ne s'appartenait pas, n'avait rien à elle, donnait tout. L'argent? Savait-elle seulement ce que c'était? Elle disait ne pas en avoir besoin et n'en désirait pas. Que de dollars ne glissât-elle dans mes habits de collégien, en me demandant le silence, mes parents lui ayant interdit de m'en donner, tout comme ils m'avaient défendu d'en accepter d'elle. Vain interdit ! et ce, jusqu'à l'hospice où son pécule était plutôt mince. Que de ruses il fallait imaginer pour lui remettre à la dérobée ce qu'elle nous offrait quand nous lui rendions visite, car un refus la vexait. Elle n'était pas comme cet avaricieux vieillard qui, la veille de culbuter dans sa fosse, se rendit en chaise roulante chez son courtier pour y faire un coup de bourse. Malgré nos âges, nos occupations, nos revenus, nous n'avions pas cessé pour elle d'être des enfants, et le geste de donner lui était si naturel qu'elle le fit jusqu'à sa toute fin. Ses compagnes de l'hospice devaient nous prendre pour de singuliers parasites lorsqu'elles nous voyaient accepter ses « petits cadeaux », et n'étant pas au courant des moyens que nous inventions pour les lui rendre, à moins qu'elles ne nous aient crus pauvres, ce qui est douteux puisqu'elle leur disait que nous étions immensément riches. Elle s'étonnait que sa « cachette » — bien mal cachée sous son oreiller — contînt toujours en dépit de « ses cadeaux » la même somme d'argent, et parfois davantage.

Exploiter sa générosité exigeait une forte dose de cynisme, ce dont les religieux de l'Oratoire Saint-Joseph avaient à revendre, eux pour qui la foi est commerce. Didi parut à ces loups un agneau d'autant plus désirable qu'il se laisserait manger en silence. Ils l'attirèrent dans la

tanière de leur célèbre oratoire alors en chantier.
Ne fallait-il pas, au nom de la justice divine et
par compensation immobilière, que l'austère cel-
lule d'un frère réputé thaumaturge devînt un
temple colossal surmonté d'une coupole dont les
dimensions prendraient celles d'une tirelire nationale? Ces vendeurs experts en objets de piété
lancèrent sur le marché l'un de leurs plus singuliers produits: de la pierre ; une grosse pierre
se vendant naturellement plus cher qu'une petite. On indiquait au fidèle acheteur, sur une
maquette de l'Oratoire, la place numérotée qu'oc-
cuperait la pierre plus indulgencière que philo-
sophale. Didi fut sur le point d'en acheter, ce
qui représentait pour elle une fortune. Mais que
n'aurait-elle donné pour des messes à perpétuité
auxquelles son achat lui donnait droit? Jamais,
de sa vie, elle n'avait reçu un aussi volumineux
courrier: bulletins, annales, calendriers, « littérature », etc. Mon père vit bien qu'il y avait an-
guille sous roche ! Et j'ai ouï dire qu'il fit au
Provincial des révérends commerçants un ser-
mon qui ne fut pas celui sur la montagne. C'est
pourquoi Didi qui n'a pas de pierre à l'Oratoire
n'y a pas non plus de messes à perpétuité pour
le repos de son âme. Pouvait-elle prévoir que
les vendeurs du Temple deviendraient mar-

chands de pierre? et que sur de la pierre s'élè-
verait l'Oratoire?

Sa foi comme sa piété se manifestait en dé-
votions qui ne dégénérèrent jamais en bigoteries.
Elle récitait son chapelet, bien sûr, mais sans ostentation, et si elle croyait aux cierges et aux
lampions, elle croyait aussi qu'ils peuvent causer
des incendies et s'abstenait d'en allumer. Les
grandes illuminations des reposoirs du Jeudi
saint l'éloignaient des églises. Nulle preuve chez
elle de superstition religieuse ou profane. Une
salière renversée, le chiffre 13, un chat noir ne
présageaient rien. Un facétieux voulut l'initier
aux tables tournantes. « C'est vous qui tournez »
lui dit-elle. Si elle ne manquait jamais la messe
du dimanche, elle ne manquait pas non plus, rentrée à la maison, de critiquer le prédicateur et
l'officiant malgré son catholicisme irlandais de la
plus stricte obédience. D'un gros curé prêchant
la pénitence, son commentaire était définitif:
« Il ferait mieux de maigrir que de parler ». Seuls
trouvaient grâce à ses yeux ceux qu'elle appelait
« les beaux prêtres ». À l'ordination d'un parent,
elle déclara ne pas comprendre qu'on pût devenir prêtre quand on était aussi laid. Elle cessa
temporairement de fréquenter l'église de la pa-

roisse dépourvue de beaux vicaires pour aller à
celle d'une autre paroisse où un beau prêtre faisait de si beaux sermons et disait de si belles
messes qu'elle s'étonnait qu'il ne fût pas évêque.
Je sus plus tard que ce beau prêtre, d'un physique plutôt moche, était la dernière des tantes ;
que, pour officier et prêcher, il se parfumait et
se maquillait, tout comme, pour camoufler ses
mœurs, il faisait sa cour de préférence à des
vieilles filles qui, comme Didi, sont d'une mora-
lité intransigeante. Or, rencontrant Didi dans la
rue et l'ayant reconnue, il avait bavardé aimablement avec elle, ce qui avait suffi pour qu'elle
le promût à la beauté. Si Monsieur Jourdain faisait de la prose sans le savoir, Didi professait
le socratisme sans le savoir, puisqu'en idéali-
sant le beau, elle le désincarnait. La régula-
rité des traits, la grâce d'un corps et la finesse de sa musculature ne comptaient pas. Elle
trouvait affreuses des stars de cinéma, et voyait-
elle dans le journal la photo de Greta Garbo ou
celle de Marlene Dietrich, qu'elle pouffait de
rire à penser que « ces bonnes à rien gagnaient
leur vie à acter des menteries ». Elle leur pré-
férait, nous aussi, le cheval blanc de Tom
Mix. Donc étaient belles les personnes qui lui
adressaient aimablement la parole, si laides fus-

sent-elles. Ainsi le nez le plus crochu ne disgra-
ciait jamais un visage qui lui avait souri, car
c'est elle-même qui en rectifiait la ligne. Ceux
qui ne la « regardaient » pas ou qui ne daignaient
pas lui « parler » étaient irrévocablement laids.
Si elle était plus indulgente envers les « docteurs » — sans doute parce que mon père l'était
— qu'envers les ecclésiastiques, il ne fallait pas
s'y tromper. Si un médecin à qui elle ouvrait la
porte ne la saluait pas, alors son sort était réglé ;
sa disgrâce, certaine ; sa compétence, annulée ;
sa laideur, authentifiée, eût-il été Adonis en personne. En revanche, le plus horrible nain, s'il se
montrait agréable, ne lui paraissait pas « si petit
que ça ». N'était-il pas « intelligent comme un
singe » car sa conception de l'intelligence rejoi-
gnait celle de la beauté. Il y en avait un qui, soit
par libertinage, soit par satisfaction de ses bonnes fortunes, avait le compliment facile. Il en fit
à Didi qui ne jura que par lui. Lui seul la soi-
gnerait, dût-elle tomber malade puisqu'il était
« le meilleur docteur du Canada ». Elle conservait d'une brève hospitalisation un souvenir in-
oubliable parce que les confrères de mon père
s'étaient donné le mot pour la visiter dans sa
chambre. N'avait-elle pas été « traitée comme un
premier ministre »? Le personnel, du directeur

au garçon d'ascenseur, était à ses pieds. Quant à
l'hôpital, c'était « la plus belle hospital de la ville,
avec des belles escaliers avec des bras en fer
tordu ».

Malheur à qui osait lever le nez sur elle !
Bonheur à qui lui manifestait de la bienveillance
et de la générosité. Elle vouait à mon grand-père,
qui lui avait donné une montre, une admiration
sans bornes. « Voilà un homme qui n'a pas le
cœur dans ses poches. On n'en fait pas deux
comme ça ! » s'exclamait-elle. Elle insistait auprès de mes parents pour qu'ils invitent plus souvent quelqu'un dont elle ignorait qu'il était célèbre noceur et à qui, parce qu'il lui faisait la
cour en tout bien tout honneur, elle aurait dé-
cerné un brevet de vertu, lui en eût-il demandé.
De plus, cette personne alcoolique s'enivrait à
rien, et Didi ne s'en rendant pas compte prenait
son ébriété gesticulante pour des manières de
« grand monsieur ». Elle disait: « Ah ! si tout le
monde savait vivre comme lui ». Par contre, une
amie de ma mère, personne irréprochable, distin-
guée mais distante, s'attirait maints reproches,
celui, entre autres, — et Didi ne mesurait pas la
portée de ses mots — de n'être qu'une « dégueu-
lasse montée sur ses grands chevaux »

À la moindre remontrance, elle bougonnait, n'acceptant pas d'avoir tort et de s'être trompée. Elle s'entêtait inébranlablement. Ses confessions, l'aveu de ses fautes les plus vénielles, durent donner lieu à de jolis démêlés. Ceux qui s'aventuraient à lui manquer de politesse étaient aussitôt remis à leur place. Mal en prit à un garçon livreur qui lui parla effrontément, car, ce jour-là, son patron épicier perdit une bonne cliente. Elle usait souvent d'expressions dont le sens lui échappait. « Je suis dans mon droit » en était une, et « marcher sur mes plates-bandes » en était une autre. Si dans la foule quelqu'un lui écrasait les pieds, elle lui disait: « Vous marchez sur mes plates-bandes et je suis dans mon droit ». Répétées à tort et à travers, ces expressions n'en traduisaient pas moins bien sa fierté de n'être pas « n'importe qui ».

Sa vanité, si elle en avait, ne se trahissait pas dans ses vêtements. Elle ne dépensait pas un sou pour ce qu'elle appelait se « pomponner ». Être proprement vêtue lui suffisait. Je crus longtemps qu'elle n'avait qu'une seule robe, comme Jésus, avais-je appris au Jardin d'enfants, porta toute sa vie la même tunique. En fait, ses robes étaient celles de ma mère refaites à sa mesure

par une couturière. Pour rien au monde, elle
n'eût porté l'uniforme de servante. Le noir vieillit, affirmait-elle, et le tablier blanc se salit. À
l'occasion d'une réception, elle s'y résigna, mais
au prix de quelle humiliation ! Le service en
souffrit, elle le fit mal et en maugréant. Comme
son vêtement, son âge me parut toujours le même. Il n'y avait que nous qui vieillissions d'anniversaire en anniversaire ; elle ne voulait pas
que le sien fût fêté. Sa charpente osseuse et an-
guleuse la faisait ressembler à un petit rocher
de sa Gaspésie et semblait immuable. Longtemps
sans âge, sans maladie, c'est subitement que ses
forces déclinèrent. Non sans ménagements, dis-
cussions, refus, tergiversations, ma mère finit
par la persuader, vu ses quatre-vingts ans, de se
retirer non pas dans n'importe quel hospice mais
dans celui qu'elle lui avait choisi parce que la
sœur de l'un de mes beaux-frères en était la directrice. C'est surtout ce qui la décida ; ainsi eut-
elle l'impression de ne pas quitter complètement
la famille. D'ailleurs, en femme remarquable-
ment intelligente qu'elle était, la directrice de
l'hospice sut l'accueillir non comme une pension-
naire ordinaire mais comme une parente et la
traiter en amie, et, plutôt que de la laisser dans
un désœuvrement qui l'eut fait mourir d'ennui,

lui confia des tâches appropriées à son état de santé autant que conformes à ses goûts. Elle fit davantage en lui permettant de réaliser ce qui avait été l'ambition de sa vie: s'occuper des malades et se faire passer pour infirmière. Didi avait tant gardé d'enfants qu'il était humain qu'elle-même se donnât un titre. Et puis, son activité ne compromettait la santé de personne. Ses soins étaient d'ordre hygiénique ; ses conseils, de médecine préventive, comme de recommander à un cardiaque de ne pas courir dans l'escalier, et, à un malade du foie, de ne pas trop manger de chocolat. Lorsqu'elle allait d'un lit à l'autre de l'infirmerie, son bavardage avec les malades consistait surtout à leur parler des médecins qu'elle connaissait ou avait connus. Ce qui la confirma dans son titre furent ses conversations avec le médecin de l'hospice ; il savait qui avait été mon père et qui était Didi comme le savaient tous ceux qui venaient à la maison. Aussi, à chacune de ses visites, s'entretenait-il avec elle, à l'ébahissement des pensionnaires qui n'en revenaient pas de ce que l'une de leurs compagnes tutoyât des docteurs. Lui mentionnait-on quelque spécialiste réputé qu'elle s'exclamait: « Roméo? Mais je le connais comme si je l'avais tricoté ».

Un soir, et c'est la dernière image que je garde d'elle, je lui fis une visite. Elle ne m'attendait pas. C'était l'heure du dîner. Je la vis comme je l'avais vue si souvent avec les enfants, mais cette fois assise près d'une vieille femme paralysée qu'elle aidait à manger. M'apercevant, elle dit en riant et tout en portant d'une main tremblante une cuillère aux lèvres de la malade: « Comme quand t'étais petit ». Évocation qui en dit long et dont la dernière fut celle de nos prénoms prononcés dans le délire de son agonie. Didi emportait avec elle nos enfances dans son paradis.

Madame de Courcy

Peu après la guerre, dès qu'il fut possible et permis de voyager, je m'embarquai à New-York sur un navire à destination du Havre. Encore aménagé pour le transport des troupes, ce Liberty Ship n'avait ni cabines ni salle à manger. Les passagers couchaient dans des dortoirs réservés respectivement aux femmes et aux hommes, et prenaient leurs repas à un self-service. Le menu du jour comprenait du rôti de rat et du chat bouilli, car, à bord de ce navire, le nauséabond et la promiscuité étaient maîtres avant Dieu. Je n'eus pas à souffrir de sévices, mais d'un mal de mer qui dura la traversée. De ce voyage je ne me rappelle que la putride haleine et l'accent yiddish de mes voisins. Dormant vingt heures sur vingt-quatre, je confondais le jour avec la nuit et me croyais à fond de cale, sur un grabat, comme Job, sans toutefois de fumier au derrière. Un bon Samaritain m'apportait dans un bol des jus de fruits ; je ne les buvais pas ; je lapais, bruyamment, comme un chien.

À l'arrivée au Havre, je ne me sentais pas très gaillard ; une semaine de fièvre et de nausées ne bronze pas le teint. Néanmoins, la joie de fouler enfin le sol de France était telle que si la pudeur me retint d'embrasser le premier Français que je vis et qui était douanier, je me hâtai vers le premier bistrot du coin pour n'en ressortir que longtemps après et sur une seule patte, oubliant l'autre au fond d'un dernier verre. J'étais en France ! Fini le bilinguisme ! Quelle détente pour l'oreille ! J'allais à Paris. L'esprit pouvait récupérer . . .

La veille de mon départ, un ami avait insisté pour qu'à Paris je visite l'une de ses connaissances : personne d'essence supérieure, affirmait-il, n'ayant que des qualités. De plus, ajoutait-il, pour me taquiner, les grâces de sa féminité désarmeraient ma misogynie — moins méprisante qu'il n'était en mesure de la juger — car je ne pourrais qu'admirer une femme aussi exceptionnelle, « divine », comme il n'en existait pas deux en Europe. Je voulais bien le croire sur parole mais son exaltation ne me persuadait pas. J'hésitai même à transcrire l'adresse de sa « sublime » amie lorsqu'il laissa entendre qu'être reçu chez elle était considéré comme une grande faveur. Qu'avais-je besoin de faveur imposée comme telle? C'était mal me connaître. Je n'allais pas à Paris pour y nouer des relations, fréquenter les salons, fussent-ils huppés et du plus pur gratin, courtiser des douairières, jouer au jeune attaché d'ambassade, dépenser en réceptions et sorties mondaines le peu d'argent que j'avais. Que m'importait que sa « grande dame » fût d'une famille dont les ancêtres avaient été aux Croisades et remontaient à saint Louis? En quoi le parfait étranger que j'étais pouvait-il l'intéresser? En quoi, surtout, pouvais-je l'intéresser? Son vieil âge m'obligerait à des civilités ennuyeuses, et comme je venais de conquérir de justesse une certaine indépendance, je ne la sacrifierais pas à tout un cérémonial de feintes, de ruses, d'empressements futiles. Et comme je m'impatiente à me contraindre, qui sait si, à la longue, je ne tiendrais pas à son amie des propos qui scandaliseraient et son âge et son sexe? Je ferais à sa Béatrice du Faubourg Saint-Honoré une visite mais pas deux. « L'important, dit-il, c'est que tu la vois ». Je le lui promis.

Des mois passèrent. Ma promesse tomba dans les profondes oubliettes de ma mémoire, et ce n'est pas la trépidation de la vie parisienne de l'après-guerre qui daignât me la rappeler. L'activité artistique fleurissait à foison. Désirant tout voir, tout entendre, je consacrais mon temps aux spectacles, au théâtre, à la lecture. Je me suis usé les yeux à lire. J'aimais Balzac comme un ami, Flaubert comme un frère, au point de voir sur chaque portière de taxi la main crispée de Madame Bovary. De ce temps date aussi le grand regret de ma vie: n'être pas musicien. Hier encore, il a suffi qu'au cours d'une promenade, j'entende du Mozart pour que m'envahisse son indicible mélancolie. C'était le soir, un soir andalou, soyeux. Il me semblait que la musique venait du ciel et que les constellations en étaient la partition. J'écoutais chaque note gravée sur chaque étoile. Et je pensais : « Quel bonheur de vivre sur cette terre puisque de telles mélodies y descendent ! Mais aussi, quel malheur de ne pouvoir les saisir pour les enfouir dans son cœur ! Ne dépendre ni du temps ni de l'espace ; échapper à sa propre angoisse ; s'abandonner à sa rêverie ; aller avec Mozart, et avec lui seul jusqu'à la mort, cette envieuse du bonheur que donne la musique parce que c'est un bonheur qu'elle ne peut ni donner ni prendre. La musique aura été la compagne de ma vie, compagne idéale pour qui l'aime comme je l'aime: indéfectible. Ne me resterait-il qu'elle dans mon malheur que je serais encore heureux. Ainsi, flânant dans Paris comme flânant dans ma vie, c'est sans doute parce que je ne songeais plus à la visite que j'avais à faire que je la fis.

Je me rendis rue du Faubourg Saint-Honoré jusqu'à la porte cochère dont le numéro correspondait à celui que j'avais inscrit, en quittant Montréal, sur un bout de papier. J'entrai dans un vestibule si sombre que je ne pus y trouver le bouton de la minuterie ni celui de la sonnette. Comme un aveugle, je palpai des murs puis ce que je crus une porte. J'y frappai mais faiblement dans l'espoir qu'on n'entendrait pas et qu'en conséquence ma visite serait remise indéfiniment. Hélas ! on m'ouvrit. Quelle déception ! Dans le noir, une ombre bougea. Étais-je bien chez madame de Courcy? Si oui, pouvait-elle me recevoir? « Et qui dois-je annoncer à madame la comtesse? » demanda l'ombre. Je me nommai. L'ombre s'effaça. Ma visite commençait bien. J'avais oublié que j'étais chez une comtesse. J'attendis longtemps, assez pour songer à filer à l'anglaise lorsque surgit des ténèbres une petite flamme qui, comme dans une séance de spiritis-

me, flotta dans l'espace et se rapprocha de moi.
Je discernai peu à peu un bougeoir, puis la main
qui le portait, et, finalement, le visage d'une femme au regard étincelant. « Je m'excuse de vous
recevoir à la chandelle mais à cause du rationnement de l'électricité, le courant a été coupé. Il
l'est trois jours par semaine à pareille heure. Ma
vieille servante n'aurait pas dû vous laisser dans
l'obscurité. Mais elle est si distraite ! Venez au
salon. Vous savez que je vous attendais depuis
longtemps. Notre ami de Montréal m'a écrit que
vous viendriez. J'avais hâte de faire votre connaissance ». Je la suivis. La scène était roman-
tique à souhait: une vieille châtelaine éclairant
les pas d'un voyageur venu lui demander l'hos-
pitalité. J'avais l'impression d'errer dans les
pièces que nous traversions. Nous arrivâmes à
un salon qui me parut d'autant plus vaste que
la pénombre en noyait les dimensions. De chaque côté de la cheminée, des fauteuils. Madame
de Courcy fit le geste d'en rapprocher deux, et
m'en désigna un. Avant de s'asseoir, elle alla à
la cheminée, y prit un tisonnier pour remuer des
cendres qui s'enflammèrent mais tenta vaine-
ment de replacer une bûche qui avait roulé hors
du brasier. Je voulus l'aider. Le tisonnier était
en effet bien lourd pour une main aussi frêle que

la sienne. « Que voulez-vous, me dit-elle, quand
on vieillit, on ne peut plus rien faire de bon ».
Je réussis à replacer la bûche sur les chenêts.
« Bravo, » fit-elle. « Et maintenant, parlons ».

Je regardais non pas le feu dans la cheminée, ce qui m'a toujours fasciné, mais madame
de Courcy qui me fascinait davantage. Légèrement inclinée, il lui fallait, en me parlant et parce
qu'elle était petite, redresser si haut la tête,
presque la rejeter en arrière, que c'est toute sa
personne qui semblait en lévitation. Elle m'inter-
rogeait sur ma famille, mes études, mes impressions de Paris, mes projets, sur un ton si peu in-
terrogateur, si détaché de toute curiosité personnelle que je lui répondais comme je me réponds
quand je suis seul et que je m'interroge sur ce
que je suis, sans ce trompeur et ce tortueux avec
lesquels je me pare pour détourner les questions
indiscrètes et malveillantes. La franchise appelle
la franchise, suscite la confiance, porte à la confidence sans pour autant la chercher ; elle est un
état d'esprit qui nous met d'accord avec nous-
mêmes et avec les autres. Tout ce que me disait
madame de Courcy respirait la franchise. D'em-
blée, ma confiance, d'habitude circonspecte parce
que trompée, abusée, lui était acquise. Ce fut

comme si je la connaissais depuis longtemps et que je la connaîtrais toujours. Sa simplicité m'éblouissait. Je l'écoutais avec attention non parce qu'elle m'intimidait, — au contraire, sa présence me donnait grande assurance — mais parce que ses propos alliaient sans ostentation l'intelligence avec la bonté, la clairvoyance avec le sens commun. Les qualités du cœur s'opposent souvent, sinon toujours, à celles de l'esprit. Chez elle, manifestement, leur association les décuplait: l'esprit prêtait au cœur et le cœur à l'esprit, et de ce prêt résultait un étonnant équilibre.

Mon ami n'avait nullement exagéré. Madame de Courcy méritait ses éloges et j'étais prêt à lui en décerner d'autres. Comme il me l'avait prophétisé, moi qui n'étais en sa compagnie que depuis un moment, je l'admirais déjà. J'étais pris par la souveraineté de son regard, sans savoir si ce regard était beau parce que rayonnant de bonté, ou bon parce que rayonnant de beauté. Et puis, son amabilité n'était pas étudiée comme elle l'est chez ceux qui désirent, dès une première rencontre, créer bonne impression. Impressionné, je l'étais pourtant, par sa douceur, sa vivacité, son allégresse. Elle me faisait oublier son âge et le mien. Subissais-je l'effet de ce que

l'on nomme un coup de foudre? Coup de foudre
bien platonique puisque dénué de toute attirance
physique, quoique je sentisse le charme qui éma-
nait de sa personne et que je fusse sensible à sa
cordialité. Sa conversation m'ensorcelait et pour
bien des raisons. Ses réflexions n'avaient cependant rien de ce mélange de cynisme désinvolte,
de malice riante et de calomnie moqueuse que
l'on appelle l'esprit parisien et dont le théâtre de
boulevard est l'incarnation même. Madame de
Courcy avait l'esprit caustique mais non gouail-
leur. Elle ne faisait pas de « mots » — et les bons
mots le sont toujours aux dépens d'autrui — non
que sa finesse fût incapable d'en concevoir, son
langage d'en exprimer de spirituels, mais parce
que son indulgence se l'interdisait et que sa conscience se le fût reproché. J'étais aussi ravi par
son français pur, clair, bien articulé, sans affec-
tation, sans ces fautes de goût que sont les mots
savants et d'argot. Elle parlait d'abondance sans
pour autant parler pour ne rien dire.

L'âge n'avait pas défraîchi son timbre de
voix, clair et porté à l'aigu. Plus tard, après cette
visite, quand elle eut à me téléphoner, j'entendis
au bout du fil non pas la voix cassée d'une sep-
tuagénaire mais celle claironnante et rieuse

d'une jeune femme ; les inflexions en étaient sou-
ples, jamais monocordes ; les mots prenaient le
relief sonore conforme à leur sens. Ainsi, le mot
vie ne résonnait pas comme le mot mort. Elle
dotait le premier d'un coloris éclatant, comme la
vie elle-même, débordant sur le reste de la phrase, alors que l'éclairage du mot mort était funé-
raire. Pour me parler de son mari décédé depuis
longtemps, elle usait de termes qui, comme son
deuil, portaient le voile du chagrin qu'elle éprou-
vait encore. À l'écouter, je me rendais compte
d'une vérité dont je commençais de faire sur moi
la découverte et qui était celle que les morts vivent en nous, par nous et pour nous, comme y
vivait mon père ; que c'est le souvenir que nous
en gardons qui procède à leur réincarnation en
nous, de sorte qu'ils nous semblent plus vivants
que de leur vivant même ; que nous finissons par
emprunter non seulement leurs traits physiques
mais aussi leur caractère ; que leurs qualités comme leurs défauts deviennent nôtres ; que nous
sommes en définitive, par l'ascendant de leur présence, plus eux-mêmes que nous-mêmes. Le souvenir de son mari défunt était pour madame de
Courcy le champ de vision de sa solitude. Aussi,
me parlant de lui, s'adressait-elle à moi comme
s'il vivait encore.

Sa diction ne visait à aucun effet et c'est pourquoi elle en obtenait. Son élocution n'était pas affectée comme celle de certains comédiens qui, tant au théâtre qu'à la ville, ont à payer rançon de parler tous les langages dont aucun n'est d'eux. Madame de Courcy parlait avec une facilité qui lui était naturelle et comme de source, sans rien de pompeux, de solennel, de complaisant. Pour se moquer d'elle-même, le ton devenait enjoué, ironique. « Me croirez-vous, disait-elle, mais je suis coléreuse. À mon âge, est-ce que ce n'est pas pitoyable? Et je n'ai pas d'excuse. Si, encore, c'était un défaut de famille. Mais non ! Mes parents étaient la douceur même. Et je n'ai pas que ce défaut. J'en ai d'autres, et plusieurs. Il est trop tard évidemment pour que je me corrige. Et peut-on se corriger? Je lisais, je crois que c'est dans Montaigne, que, dans la vie, tout arrive et le contraire de tout. Comme cela est vrai ! Mais, que je suis bavarde ! Il faut m'interrompre, monsieur, me parler de vous. Vous écrivez, m'avez-vous dit. J'ai un frère écrivain. Il n'est pas très connu, pas comme mon neveu, qui, lui, est ce qu'il y a de plus connu. Il faut que vous le rencontriez. Il est assez bizarre, vit en ermite. Je crois bien être l'une des rares parentes qu'il voit. Ses livres, hélas ! ne sont pas tous recommandables. Pour moi qui suis chrétienne, je les trouve païens, ce qui ne veut pas dire qu'ils ne sont pas beaux. Il a un tel talent ! C'est ce qui lui vaut beaucoup d'ennemis. À l'entendre, ce monde d'écrivains est peu fréquentable. Pour un Valéry, que de cloportes ! Mon neveu les nomme d'un mot plus cru. Enfin, je vous prie de me croire, il n'est pas homme à condescendre. On lui en veut autant de vivre en marge que d'avoir les idées qu'il a. À la Libération, des écrivains d'extrême gauche voulaient sa tête. Lui qui est naturellement misanthrope, vous imaginez bien que ce n'est pas ce qui a pu le rapprocher de la société. Il est d'un pessimisme noir, surtout ces temps-ci, car il n'a pas le droit de publier. C'est dommage que les gens le connaissent et si peu et si mal, mais il y a de sa faute puisqu'il ne se laisse pas connaître. Que de fois, ici même, je l'ai vu, muet, devant telle personne, parce qu'il ne s'attendait pas à la rencontrer ! Maintenant, je prends soin de lui dire, avant qu'il ne vienne, quels sont mes invités. S'ils s'en trouvent qu'il ne blaire pas, alors, il reste chez lui. » Elle continua à me parler de son neveu sans toutefois le nommer. Lui demander comment il s'appelait eut été impoli de ma part. Elle le connaissait depuis l'enfance, avait veillé à son éducation, suivi sa carrière, lu de ses manuscrits. « C'est incroyable, dit-elle, les fautes d'orthographe qu'il peut commettre. Il paraît que Barrès aussi en commettait. Il a quelque chose de Barrès, vous verrez ». J'entendis sonner six heures. Non, ce n'était pas possible ! Avais-je perdu toute notion du temps? J'étais venu, comme je me l'étais promis, pour dix minutes et je me trouvais dans ce salon depuis plus d'une heure. Je me levai pour la remercier de m'avoir si aimablement reçu et m'excusai de m'être présenté sans l'avoir prévenue et d'être resté si longtemps. En me reconduisant jusqu'au vestibule, elle me dit encore qu'il me fallait rencontrer son neveu, qu'elle allait lui téléphoner pour l'inviter à déjeuner avec moi.

En revenant à l'hôtel, je me demandais qui était ce neveu écrivain. J'eusse pu repérer son nom par le titre de l'un de ses livres mais aucun n'avait été mentionné. Si, par ailleurs, je savais que le frère de Madame de Courcy s'appelait Robert d'Harcourt et qu'il était de l'Académie française, ç'avait été bien indirectement, par suite d'une allusion à Saint-Simon. « Celui-là, m'avait-elle dit, ne prisait guère mes ancêtres d'Harcourt. Je veux croire que le duc n'était pas un

aigle et qu'il y avait dans l'entourage de Louis
XIV plus intelligent que lui. De là à le couvrir
d'injures et à le charger de tous les péchés de la
terre, tout de même ! Mon neveu s'amuse à relever dans les Mémoires tout ce que Saint-Simon
a pu écrire d'horreurs sur ma famille ». Ce neveu s'appelait-il comme son oncle? D'Harcourt
ne me disait rien et je ne connaissais aucun écrivain réputé de ce nom-là. Ses ennuis, à la Libération? Tant d'auteurs et des meilleurs en
avaient eus. Ce ne pouvait être Drieu la Rochelle
qui s'était suicidé ; Mauriac qui était au mieux
avec la Résistance ; Morand qui vivait en Suisse.
Pourquoi chercher? On verra bien, me dis-je,
puisque je le rencontrerai. Et je ne pensai plus
qu'à l'impressionnante femme de chez qui je sortais et où il me tardait de retourner.

La semaine suivante, je reçus son invitation
à déjeuner pour le lendemain. Quand j'arrivai,
je la trouvai seule. « J'attends mon neveu d'un
instant à l'autre. Il est la ponctualité même » dit-
elle. Et, en effet, comme un écho à ses paroles,
une porte du salon s'ouvrit et un homme qui me
parut courtaud et de qui j'avais souvent vu la
photo s'avança presque au pas de course pour
s'incliner respectueusement devant notre hôte

et lui baiser la main. « Voici mon neveu Henry de Montherlant » me dit-elle, et, s'adressant à son neveu: « Voici le Canadien dont je t'ai parlé. Il connaît notre littérature comme peu de Français la connaissent aussi bien. Vous vous entendrez, car il aime Saint-Simon ». Je dis à Montherlant que j'étais très honoré de le rencontrer puisqu'il était avec Mauriac et Valéry l'écrivain contemporain que j'estimais le plus. « Je vous ai même écrit, lui dis-je, quand j'étais au collège, alors que je venais de lire *La Relève du matin*. Vous n'avez pas dû recevoir ma lettre, probablement interceptée par le préfet de discipline qui avait droit de regard sur toute correspondance ». Montherlant répondit: « Non, je ne l'ai pas reçue et c'est dommage. Mais il en est toujours ainsi. Les lettres que l'on aimerait recevoir, on ne les reçoit pas. Celles que l'on n'aime pas recevoir, on les reçoit. Si jamais vous publiez, vous serez à même de confirmer le fait. » Madame de Courcy fit l'étonnée. « Dans ton courrier, tu dois bien trouver parfois des lettres intéressantes? » demanda-t-elle. « Jamais, répondit Montherlant. Ma secrétaire a la consigne de jeter au panier toute lettre d'admirateur ou d'admiratrice et de ne me remettre que les lettres d'injures dont le style a plus de consistance que celui des

lettres de compliments ». Je lui dis qu'il n'aurait
pas lu celle que je lui avais écrite puisqu'elle
était fort admirative, y ayant mis l'exaltation de
mes seize ans. « Au contraire, répondit-il, je lis
tout ce que m'écrivent les adolescents et souvent
je leur réponds. Un adolescent, si niais soit-il, a
toujours sur l'adulte le plus intelligent l'avantage... » Il hésitait à finir sa phrase. Madame de
Courcy demanda quel était cet avantage. « Celui, répondit-il, de n'être abruti ni par la vie ni
par l'âge ». Et comme sa tante lui dit: « Merci
pour l'âge », il reprit: « Vous savez bien que
vous n'êtes pas en cause et ma présence vous le
prouve ». Alors, s'adressant à moi, elle dit: « Je
le sais bien. Il ne va nulle part ailleurs qu'ici.
Son oncle qui l'aime bien et qui voudrait le par-
rainer à l'Académie s'en plaignait, hier encore.
Il faudrait, mon neveu, que tu te montres, que
l'on te voie ». Montherlant reprit: « Il faudrait
surtout que je le veuille ». À quoi elle répliqua:
« Allons déjeuner plutôt que de parler ainsi. »
À peine avait-elle dit cela qu'un petit chat noir
sorti de je ne sais où bondit sur ses genoux.
« Voici Néron qui veut, lui, non pas être de l'Académie mais déjeuner avec nous. » Le chat monta
sur le dos du fauteuil et posa une patte sur la
coiffure de Madame de Courcy. « Il serait bien

assez effronté pour déplacer ma perruque. De quoi n'est-il capable? L'autre jour, il s'est glissé sous le couvercle du piano. Comment? Lui seul le sait. Non, tu ne vas pas nous embêter. » Elle s'était levée, nous invitant à passer à la salle à manger dont elle referma la porte en repoussant du pied Néron qui la suivait.

À table, elle me fit asseoir à sa droite, place qui fut ensuite la mienne, même quand il y avait des invités plus importants que moi — et tous l'étaient —. Ce fut elle qui, heureusement, parla: qu'avais-je d'intéressant à dire? Il fut question de personnes en détention et en résidence surveillée. « Cher monsieur, dit-elle, vous allez croire que je fraie avec la canaille. Soyez rassuré. Les malheureux dont je parle purgent des peines politiques, car ils ont servi sous Pétain, ce que le régime actuel ne leur pardonne pas. Ils sont pourtant d'aussi bons Français que ceux qui les ont condamnés. » Elle demanda à Montherlant qui ne disait mot si l'interdiction de publier dont il était frappé allait être levée. « Elle le sera selon le bon plaisir de mes ennemis dont le bon plaisir n'est pas, que je sache, celui de voir jouer mes pièces au Français. Les temps sont à la politique ; la littérature aussi.

C'est pourquoi tant d'écrivains sont du côté du pouvoir. Ils font la pluie et le beau temps. Et quelle fournée à l'Académie, pour remplacer Pétain, Maurras, Bonnard, Hermant! Je ne parle pas de mon oncle qui, lui, est un honnête homme et un excellent historien du romantisme allemand. Mais ceux qu'on vient d'élire! C'est une autre paire de manches. La justice s'apprécie différemment suivant qu'on est procureur ou prévenu, juge ou avocat, innocent ou coupable. Fouché disait à Napoléon: « Un tel, bandit notoire, vous devriez le nommer magistrat. C'est un expert en parjures, en expertises, en dépositions. Vous, ma tante, de quoi n'avez-vos pas été témoin à la Libération? » En réponse à son neveu, madame de Courcy me conta que pendant l'occupation, elle allait à la messe à la Madeleine et qu'un jour de pluie, un jeune officier allemand qui assistait à la même messe s'offrit de la ramener chez elle. « J'ai vu, me dit-elle, ce pauvre jeune homme, le jour de la Libération, se faire sauvagement massacrer devant ma porte. Venait-il se réfugier ici? Quelqu'un me dénonça à la police. Un officier allemand m'avait adressé la parole! On me soupçonna, moi, à mon âge, et qui suis Française et dont tant des miens sont morts pour la patrie, on me soupçonna de complicité avec l'ennemi ! complicité avec l'ennemi. Et toi Henry, s'il n'y avait eu Malraux ! » Montherlant ne dit mot. Ce n'est que par la suite que je compris l'allusion, lorsque l'éditeur Henri Lefebvre me conta que Montherlant s'était réfugié chez lui afin d'échapper à ceux qui voulaient l'emprisonner. Avec l'ambassadeur du Pérou, l'écrivain Calderon, Henri Lefebvre s'était rendu chez Malraux qui lui dit: « Lefebvre, je sais que Montherlant est chez vous, à Versailles. Il n'a rien à craindre. Aussi longtemps que je serai ministre, on ne touchera pas à un seul de ses cheveux. Je me fous de ses idées, mais je ne me fous pas de son œuvre. Qu'il rentre à Paris ! »

Pour en revenir à ce déjeuner, Néron qui était sans doute passé par le trou de la serrure sauta sur la table, et madame de Courcy, pour l'en faire descendre, lui donnait mollement des coups de serviette qu'il parait, réfugié derrière un vase de fleurs. Montherlant se leva, le prit dans ses bras, et, le caressant, retourna s'asseoir, un peu en retrait, ce qui me permit de l'observer sans qu'il s'en aperçût. De profil, le masque était baudelairien. Un certain ravagé du visage décelait une passion de soi-même poussée jusqu'à l'inexorable. Le front: vaste, équarri, sculptural.

Des ailes du nez, deux rides rejoignaient en oblique, sous les méplats des joues, les commissures des lèvres. Le menton était dur, le cou rentré dans la poitrine busquée, trop développée pour la taille. En parlant, il semblait s'adresser à son double, à moins que ce ne fût son double qui parlât par sa bouche, tant une solitude intense l'avait habitué à ne dialoguer qu'avec lui-même. À quelque temps de là, qui fut ma première rencontre avec lui, parut en librairie « Le Maître de Santiago » C'était Montherlant en personne, fondateur de l'Ordre, et fondateur sans successeur. Quant au manteau, il était de sa confection. Écrivain comme il y en a peu en France, pays pourtant d'écrivains, il ramenait tout au formel, avec un style qui revalorisait les clichés les plus plats. Sa conversation, son monologue plutôt, ressemblait à son écriture: mêmes coupes de phrases, d'un relâché surveillé, taillées dans le vif de sa sensibilité et la dureté de son orgueil. Le parlé plagiait l'écrit. En quoi Montherlant était-il ce qu'il était? En ce qu'un artiste est ce qu'il est, sans le savoir expressément, car s'il le savait, il n'écrirait pas, puisque c'est sa propre énigme que son œuvre essaie de déchiffrer. Un écrivain de valeur ne met-il pas toute sa vie au service de son expression? Montherlant était-il satisfait de la sienne? Je n'avais pas été invité à ce déjeuner pour le lui demander, ou, puisqu'il l'avait cité, pour faire mon Sainte-Beuve, mais pour le rencontrer. C'était chose faite. D'ailleurs, je ne pus l'observer plus longtemps ; nous étions passés au salon pour y prendre le café. Et comme je voulais le laisser seul avec sa tante, je pris congé des deux.

Ainsi, durant les deux années de mon séjour à Paris, j'allais chaque semaine, ordinairement le mercredi, déjeuner chez madame de Courcy. Le plus souvent, elle était seule, parfois mais rarement avec Montherlant ou quelque autre invité, jamais cependant plus de trois. Ma timidité, qui fait que je me hérisse tout en rentrant en moi-même dès qu'il y a nombreuse compagnie, n'était donc pas soumise à rude épreuve. Je connus la meilleure société, inconnue du public qui n'a pas sujet à en parler parce qu'elle ne lui en offre pas l'occasion. « Ils sont tombés bien bas» fut le seul commentaire de madame de Courcy sur des aristocrates qui s'étaient prêtés à de la publicité commerciale. Et de l'un de ses parents, champion de tennis dont la photo avait paru dans le journal, elle disait: « Quelle idée ! Se montrer en short ! » et j'entendais bien que ce n'était pas la tenue sportive qui la scandalisait mais le fait de s'être laisser photographier. La plupart de ses hôtes occupaient un rang social important sans en tirer la moindre vanité. On n'étalait ni ses titres, fût-on général ou académicien, ni sa profession, fût-on avocat ou médecin réputé. Ce n'est qu'au moment des présentations que j'apprenais par exemple que le petit vieillard en complet gris et à l'œil pointu était Maxime Weygand ou que telle autre personne professait au Collège de France. Je me rendais enfin compte que l'art de la conversation dont cette société était la plus belle illustration ne consistait pas à parler avec volubilité mais à écouter avec attention. Chacun croyait en la bonne foi de son interlocuteur même si, dans une discussion, des opinions s'opposaient. Les divergences de point de vue ne suscitaient pas d'animosité personnelle. Les fortes personnalités qui se côtoyaient là avaient déposé au vestiaire, avec canne et chapeau, leur individualisme, quittes à reprendre le tout en sortant de chez madame de Courcy, car c'était pour elle, non pour soi, comme c'était autour d'elle qu'on faisait cercle à ses réceptions. S'il y avait des vaniteux, ils ne s'exhibaient pas ; les malheureux ne contaient leurs malheurs à personne, et les pédants ne pontifiaient pas. Tous observaient le code de la politesse dont le premier article est de ne pas plastronner. Le naturel des propos allait bon train, madame de Courcy sachant les maintenir, étaient-ils politiques, ni trop à gauche ni trop à droite, là où elle plaçait les siens, dans un juste milieu. À l'opposé de ce qui se passe dans les salons de bas étage ou de parvenus — c'est pourquoi ils sont, parvenus, de bas étage — personne ne s'insultait et ne se lançait de piques. Les allusions aux absents « qui ont toujours tort » leur donnaient raison. Les potins — il en faut — se rapportaient non aux personnes mais à des choses aussi vagues que la mode, le cinéma, le théâtre, les voyages, les vacances. Les langues se déliaient sans fiel, ne tournaient ni à l'amer ni au dépit. On cédait la parole comme on cédait sa place. Les remarques malicieuses ne dégénéraient pas en méchancetés. Les originaux ne s'affichaient pas comme tels. Ce n'était pas l'habit qui était de rigueur mais la déférence. En somme, je voyais l'inimitable urbanité qui résulte d'une grande civilisation et c'est avec fierté que je pouvais en revendiquer la descendance.

Quand on me félicitait de mon français, je répondais: « Quel mérite puis-je avoir à parler

ma langue maternelle? » On me disait: « Et surtout ne changez pas d'accent pour celui de Paris
qui est infâme, bon tout au plus à épater les Amé-
ricains pour qui le « Parisian-French » est le fin
du fin ». Il s'ensuivait un tollé contre ce que devenait la langue. On ne savait pas plus la parler
que l'écrire. Quelqu'un cita une phrase d'un ro-
man à succès. « Je l'ai apprise par cœur, disait-
il, car elle est un joyau. Écoutez-moi ça: « Et de
là elle héla l'amie de l'autre côté de l'allée ».
Comme charabia, peut-on faire mieux? Vous,
monsieur le Canadien, est-ce que vous hélez?
Est-ce qu'on hèle au Canada? Je suis certain que
non ; il n'y a que dans les livres publiés à Paris
qu'on hèle. D'ailleurs, je renonce à la comprendre, cette phrase, ne sachant plus si ce qui est
hélé est l'amie, l'allée, l'autre côté de l'allée.
Bel effort stylistique ! Et en plus, pas de ponc-
tuation. Les virgules, à quoi ça sert? Et si vous
répétez plusieurs fois de suite: « Et de là elle
héla l'amie de l'autre côté de l'allée et de là elle
héla l'amie de l'autre côté de l'allée et de là elle
héla la la la la la », vous n'avez plus une phrase
mais un bégaiement. Sa Majesté la langue française détrônée depuis longtemps a l'air d'un
souillon, d'une échevelée, d'une traînée. » Et
la charge continuait, virulente. J'étais bien em-

barrassé quand on me demandait si tous les Canadiens parlaient bien. Que répondre? Mes velléités de linguiste en herbe m'incitaient à soutenir qu'il n'y a pas plus de phonétique que d'orthographe absolue, que le milieu crée sa langue, que nous ne parlions ni mal ni bien, tout étant relatif, selon une théorie linguistique ayant alors cours. Je n'eusse rien avancé de semblable si j'avais su que m'écoutait un spécialiste en biologie cellulaire qui publierait un livre fracassant sur la vie et le langage, ses recherches l'amenant à conclure que l'homme est fabriqué par son langage. Je me serais jugé lâche de médire de celui de mes compatriotes, et n'insistais pas sur les garanties qualitatives de sa survivance puisqu'il y avait là des gens qui rentraient du Canada ou qui devaient s'y rendre et qui savaient ou sauraient à quoi riment les prophéties. Néanmoins si la considération avec laquelle on m'entourait, je la devais à l'amitié de madame de Courcy, je la devais aussi à mes origines françaises, ce qui faisait dire à quelqu'un qui rentrait à Paris: « Le Canada se compose de deux pays: le Québec et le Canada ». Et pour m'évader de ce salon où chacun m'invitait à déjeuner ou à dîner, il me fallait inventer mensonges sur mensonges.

Il n'était pas seulement question du français, du Québec, mais aussi du général de Gaulle. C'était moins à sa politique qu'à sa personne qu'on s'en prenait. Quelqu'un rapporta le mot d'un polémiste, ennemi de son régime. « La France a eu son Charles le Téméraire, son Charles le Chauve ; elle a maintenant un autre Charles ; Charles le Fou ». Il lui fut répliqué: « Ce fou, si fou il y a, est victime d'une idée fixe, qui est la France. Ce ne sont pas nos gouvernements de carrousel qui avaient cette idée-là. » Alors s'engageait la discussion ; le pour et le contre étaient débattus sans arguments ni preuves venimeuses en dépit d'affirmations percutantes. L'emprisonnement à perpétuité de Pétain dont de Gaulle avait été le protégé, soulevait un mécontentement unanime. N'était-ce pas le comble de l'ingratitude? « Vous verrez, disait-on, que ce général qui n'a jamais gagné de bataille et qui s'est lui-même promu chef d'État mènera la France à la guerre civile. » Tous ces propos et d'autres me prouvaient, à moi qui n'étais pas Français, que tous, dans ce salon, adoraient leur patrie pour laquelle ils étaient prêts à s'immoler, et que tous aussi concevaient différemment son intérêt politique.

Ce milieu « vieille France », je m'attendais
à le juger ennuyeux, désuet, gâteux. Mes préven-
tions tombèrent d'elles-mêmes. Certes, l'esprit
en était mondain, — comment une réception
peut-elle ne pas être mondaine? — mais sans
snobisme ni factice. Les mondains que j'avais
précédemment fréquentés jouaient leurs rôles en
amateurs ; ceux d'ici le jouaient en profession-
nels. L'élégance était dans les propos, les manières, le vêtement, le service. La jeunesse d'esprit suppléait en la réduisant la moyenne d'âge
qui était plutôt élevée. Je songeais à Proust. Combien déformée, si géniale fût-elle, avait été sa
vision de ce monde contemporain du sien. Bien
sûr, ce salon devait avoir son Charlus, sa Ver-
durin et son Swann puisqu'il y avait un ambassadeur qui s'exprimait comme monsieur de Nor-
pois. Je n'avais qu'à regarder en moi pour y voir
un personnage qu'agitaient des passions vieilles
comme le monde, et dont l'une me désespérait.
Pour l'instant, je me trouvais dans ce salon comme en rade, à l'abri des tempêtes. Ce temps n'é-
tait cependant qu'un temps d'escale. Il me tardait de larguer les amarres, de gagner la haute
mer. Quel moussaillon j'étais pour m'imaginer
que le ciel de ma vie serait toujours au beau fixe
et que je ne subirais pas d'intempéries! Elles s'an-

nonçaient pourtant, et nombreuses. Mais parce
que nulle rafale ne me secouait, je m'imaginais
que mon voyage s'achèverait sans avaries. J'en
oubliais le passé pourtant récent et tumultueux.
Prendre mes rêves pour des réalités, transfor-
mer celles-ci en rêves, porter des œillères, voilà
mon lot et ma biographie. Aussi, étais-je content,
chez madame de Courcy, de me trouver sur la
terre ferme de l'amitié.

Je préférais à ses réceptions les déjeuners où
nous nous retrouvions en tête à tête. Sa table
frugale, avec les meilleurs vins, était excellente.
J'y mangeais beaucoup de tout car je suis assez
goinfre, contrairement à mon hôtesse pour qui
c'était beaucoup qu'un consommé, un croûton
de pain, une cuillerée de rognons, une pomme
de terre, quelques raisins. Et encore, Néron qui
miaulait à ses pieds recevait sa part. Madame de
Courcy se reprochait de le tolérer mais il la suivait comme son ombre et elle l'aimait bien.
C'était un drôle de petit chat, toujours en cul-
butes ou à courir après sa queue qu'il attrapait
et mordillait. Sautait-il sur un meuble que Madame de Courcy le grondait comme on gronde un
enfant, sans croire à ce qu'elle lui disait. Néron
n'y croyait pas plus et il lui était égal de s'enten-

dre traiter d'impertinent, et, suprême injure,
d'insolent. Un jour, furieux de ce que je ne me
prêtais ni à ses simagrées ni à ses jeux — car les
chats qui sont des solitaires désirent comme les
solitaires que l'on s'occupe d'eux — et que pour
l'éloigner je l'avais un peu pincé, il me griffa.
L'égratignure était légère mais madame de Courcy se montra impitoyable et priva Néron de poisson. J'intercédai. La peine fut commuée en une
petite ration de lait.

Mais si je me souviens de ce déjeuner, c'est
pour tout autre raison. Madame de Courcy,
souffrante, n'avait rien mangé, se contentant
d'une tasse de thé. Elle m'avait dit: « Le médecin m'a prescrit un régime à base de riz, et, en
ce temps de rationnement, le riz est rare. » Ses
paroles ne tombèrent pas dans l'oreille d'un
sourd. Sans en souffler mot, j'écrivis à notre ami
de Montréal de lui en expédier. Elle reçut le colis
comme un bienfait du ciel. Même sa fille ne cessait de me redire sa gratitude parce que j'avais
trouvé pour sa mère de l'introuvable riz. Il en
était toujours ainsi. Recevait-elle des fleurs que,
jamais, elle n'en avait vues d'aussi belles ; et ce
remerciement conventionnel ne l'était plus, tant

elle réussissait à l'exprimer avec la vraie joie que lui donnait non les fleurs mais l'offrande.

Quand Montherlant était du déjeuner, je comparais, ce que je n'eusse pas dû faire, mais comment ne pas le faire? son regard avec celui de sa tante. Pour être si différents, les deux regards avaient dû contempler des êtres et des choses différemment, puisque c'est à ce qu'il contemple qu'un regard emprunte son éclat. Celui de madame de Courcy reflétait une pureté quasi immatérielle, insaisissable, alors qu'un voile presque tangible couvrait celui de Montherlant. Les traits de leurs visages offraient de plus frappants contrastes, indépendamment de leur âge. Les rides du visage de madame de Courcy avaient été tracées par les années ; celles de son neveu, par lui-même. Aussi donnait-il l'impression d'être masqué, comme un personnage de la tragédie grecque. Les attitudes étaient dissemblables en tout. Madame de Courcy, riante, assise dans son fauteuil comme ses ancêtres dans leur chaise à porteur, se laissait effectivement porter par la conversation qui se déroulait sans heurts et sans verser dans le chaotique. Elle ne se permettait pas plus d'écarts de langage que de jugements exclusifs, n'avançant rien dont elle ne fût certaine, n'affirmant rien qui ne fût vrai, doutant des hypothèses, se refusant aux conjectures. Elle sursautait lorsque son neveu, tendu, piaffant, sur pied de guerre et bien botté, cravachait à l'improviste et au hasard quelqu'un « qui ne lui revenait pas ». Et il n'y allait pas de main morte: les coups partaient, cinglants ; et ils portaient, directs. Madame de Courcy se précipitait au secours des victimes, les aidait à se relever, mais, souvent, trop tard ; l'exécution avait eu lieu et la victime gisait. Alors, pour ne pas voir le sang couler, elle fermait les yeux, protestait: « Je ne dis pas que la personne que tu viens de traîner dans la boue est une sainte ; elle a ses défauts comme nous en avons tous, mais je la connais assez pour savoir que tu exagères et qu'elle n'est pas ce que tu crois qu'elle est. Tu vas me répliquer encore que j'absous tout par bonté. Non. D'ailleurs, les êtres sont ce qu'ils sont. » Montherlant répliquait: « Non, les êtres sont ce qu'ils font. » Madame de Courcy reprenait: « Ah non ! si nous nous mêlons de les juger sur ce qu'ils font, alors damnons l'humanité entière comme tu viens de damner cette pauvre. » Montherlant ne répondait rien. Je me taisais, n'ayant pas à mieux dire que ce qui venait d'être dit, ni qui

résumât si bien deux conceptions de vie diamé-
tralement opposées.

Madame de Courcy était croyante et menait
une vie fort chrétienne, ce qui ne l'empêchait
pas d'accepter le fait de l'incroyance et de l'indifférence religieuse. Sa foi, simultanément rai-
sonnable et sensible, la rendait indulgente aux
défaillances humaines et compréhensive à toute
faute. « Je suis née optimiste », disait-elle. La
méchanceté lui paraissait une maladie, et la bonté en était le traitement. Pour elle, personne sur
cette terre n'était un pur esprit. « Ne faut-il pas
vivre avec sa carcasse ? ». Pourquoi se servait-
elle de ce mot-là? elle qui passait, selon ce que
m'avait confié une personne de son âge, pour
une des plus jolies femmes du Paris de son époque. Si sa beauté avait vieilli, elle conservait intacte la noblesse la plus réelle, qui est intérieure.
Et c'était cette noblesse qui illuminait son regard
et spiritualisait sa personne.

Montherlant, lui, croyait à la nature et à la
souveraineté de ses instincts ; ils étaient ses maîtres impérieux et vénérés qui guidaient au point
de les confondre ses pensées et ses sentiments.
Il s'honorait de vivre et d'écrire sous leur dictée.
Il leur était en tout temps disponible, ce qui se

traduisait extérieurement par son impatience et sa fébrilité. Ses désirs à satisfaire l'appelaient d'urgence. C'est pourquoi il ne s'attardait pas à causer même lorsqu'il m'invitait chez lui.

C'était chaque fois sur rendez-vous fixé longtemps d'avance. « Je vous attends, jeudi le neuf, à onze heures quinze. » À la seconde près, je sonnais à la porte de son appartement du quai Voltaire. Un bruit de chaîne puis de verrou me faisait croire que la porte s'ouvrirait sur une cage d'où surgirait un fauve. Mais non, un domestique me conduisait à une véritable petite salle de musée dont les fenêtres donnaient sur la Seine et le Louvre. Aux murs et sur piédestal, de beaux marbres et antiques dont une admirable tête de taureau.

Je n'attendais pas. Montherlant entrait précipitamment, montre en main, visiblement satisfait de ma ponctualité. Il se montrait affable mais réservé. Rien d'intime ne se disait et le ton de l'entretien était plutôt celui de l'entrevue et variait selon les réponses à mes questions. Sur la vie littéraire, il devenait féroce et méprisant ; les œuvres ne valaient guère mieux que leurs auteurs. Parfois aussi, les boutades abondaient, persifleuses, comiques, suivies de commentaires piquants. « Comment voulez-vous que je prenne au sérieux l'écrivain que vous me nommez? » disait-il. « Il écrit dans le journal de ce matin qu'après son élection à l'Académie il est allé à Notre-Dame pour y remercier Dieu de la grande faveur qu'il venait d'obtenir, et que le jour de sa réception sera le plus beau de sa vie. Non, c'est du gâtisme et je ne donnerais pas cher pour son œuvre si elle est de cette encre-là. » Direct, franc, partial, emporté, sarcastique, le sourire un peu voltairien, il condamnait en termes vifs ce qu'il appelait « la marée montante de la médiocrité de son époque qui faisait de la France une ruine et de Paris du fumier. » À cause de cette médiocrité, il s'était exilé dans l'Antiquité romaine ; il en aimait le style de vie et de pensée. Les auteurs latins étaient ses vrais contemporains. Jamais il ne se référait à des écrivains de son temps. Il ne s'épargnait pas lorsqu'il parlait de son œuvre et jugeait sévèrement sa série de romans sur les femmes. Toujours ses réflexions, ses observations, ses sentences, ses partis-pris surtout, décelaient l'écrivain pour qui écrire est tout, même s'il affirmait que ses plaisirs lui importaient plus que ses écrits. Enfin, c'est de lui que j'appris qu'un écrivain, s'il est digne de ce nom, n'est exemplaire qu'à soi-même.

Ainsi tante et neveu m'aidaient à leur manière à me découvrir moi-même, madame de Courcy plus encore que Montherlant, car elle n'avait pas dû recourir à l'exil pour se trouver un style de vie. Malgré nos différences d'âge, de mentalité, de caractère, de tempérament, elle me parlait comme à un égal, sans quant-à-soi, arrogance ou préciosité. Si, lors de ma première visite, elle ne m'avait pas dit que son neveu s'appelait Montherlant, ce n'était ni par snobisme — personne ne l'était moins — ni par calcul, dans le dessein de m'épater davantage par la surprise de la rencontre. Elle l'avait appelé son neveu tout simplement parce qu'il l'était, comme il était pour moi Montherlant, écrivain célèbre. Lorsque j'allais la voir, je ne me sentais nullement frustré de ne pas être à la chasse aux aventures, occupation que je croyais salutaire, sinon à ma santé, tout au moins à ma circulation sanguine puisqu'elle m'obligeait à de longue promenades. J'en ramenais plus de gibier qu'il n'en fallait à mon appétit. Et comme ce gibier se mangeait frais et ne se conservait pas, je le laissais s'évader avec plus de plaisir que je ne l'avais piégé. Moi, si je m'évadais, c'était du côté de chez madame de Courcy qui m'accueillait toujours avec cette cordialité qu'on réserve à quelqu'un que l'on n'a pas revu depuis longtemps ; pourtant, ce n'était que l'intervalle d'une semaine. J'avais hâte de me retrouver avec elle. Aucune de mes visites ne devint routinière ; chacune m'était toujours nouvelle. Je retardais le moment de partir. L'heure passait si vite !

Que nous disions-nous? Ce que disent des amis: tout ou rien, encore que ce rien était beaucoup. Elle me parlait d'elle-même avec détachement. Jamais d'allusion à son titre de comtesse, et s'il ne lui venait pas à l'esprit d'en tirer vanité ou de le faire retentir, c'est parce qu'elle appartenait à la plus authentique aristocratie, celle qui n'éprouve pas le besoin de s'en réclamer officiellement par de grands airs, officieusement par des lamentations et les regrets d'un passé de privilèges et de fortune. Nobiliaire ou autre, un titre lui importait peu. Je n'en avais aucun, sinon celui de mon amitié. Il lui arrivait de me conter ses voyages, qui, en son temps, prenaient l'allure de véritables expéditions. Elle conservait de la Russie où son mari avait été en mission un souvenir enchanté. Ce qu'elle en disait me rappelait ce que Tolstoï en a écrit, car on se figure bien qu'elle avait fréquenté une société qui n'avait rien de dostoïevskien. Sa sympathie pour

les Russes venait de ce qu'ils lui avaient paru
généreux, qualité qui lui était sensible plus que
toute autre et qui était la sienne, puisqu'il faut
être généreux pour reconnaître que les autres le
sont. Il y avait chez elle une sensibilité si pers-
picace et si attentive à ne blesser personne ni en
paroles ni en jugements qu'elle me dit d'un poète
très parisien mais aussi très dissolu, que je ren-
contrais de temps à autre: « Ses fantaisies le
mènent bien loin. » C'était sa manière de me
mettre en garde. Que ce fussent livres, théâtre,
peinture, musique, elle en parlait bien ; ses observations étaient justes, ses réflexions pertinen-
tes, ses appréciations mesurées. Si les jugements
qui nous échappent nous révèlent, madame de
Courcy se révélait à son insu en disant: « C'est
une personne si charitable ! » Elle avait tout dit.
Je sus par sa fille qu'elle s'occupait à faire soi-
gner dans des cliniques privées des pauvres à
qui elle rendait visite. Son christianisme n'avait
rien de douloureux, de résigné, d'angoissé, de
dramatique, de buté, d'étroit. Il était épanoui,
décontracté, allègre, de bonne humeur, sans
liens superstitieux. Elle lisait plus assidûment
saint François de Sales que Pascal. Parce qu'elle
l'aimait, elle eût voulu que son neveu fût aussi
grand chrétien qu'écrivain. Et je suis certain

qu'elle devait beaucoup prier pour qu'il retrouvât la foi. Elle avait obtenu qu'un Jésuite, rédacteur aux « Études », le vît. L'entrevue fut sans lendemain. Le Révérend père, sans tact aucun — les prêtres en ont-ils? — déclara à madame de Courcy que son neveu avait une chance sur cent de faire son salut. À quoi elle répliqua admirablement que le salut de son neveu ne l'inquiétait plus puisque Dieu lui donnerait cette dernière chance. Montherlant, de son côté, confia à sa tante qu'il n'avait guère prisé l'attitude démocratique chrétienne du religieux. « D'ailleurs, ajouta-t-il, les Jésuites pour être à la page, dans le vent, viennent de supprimer l'article pluriel du titre de leur revue. Je lisais « Les Études » mais je ne lirai pas « Études ». Et il ajouta: « Ce qui prouve qu'un article peut être un article de foi. »

Enfin, que l'on ne se méprenne pas. Madame de Courcy n'avait rien d'une abbesse, d'une sœur de charité, d'une religieuse cloîtrée, ni son salon, d'un parloir de couvent. On n'y chuchotait pas ; on parlait librement mais sans outrepasser les limites de la bienséance et du respect d'autrui et de soi-même. Ce qu'elle disait était parfois si comique que j'en avais le fou rire sur-

tout lorsqu'elle mimait son propre étonnement.
« Quand je rencontrai pour la première fois Pierre Loti qui était avec Barrès et France un des
grands écrivain de mon temps, je m'attendais à
voir un personnage à la Musset, à la Werther,
pâle, alangui. Mais non, Je vis un tout petit homme qui, pour se grandir, portait des souliers à
talons hauts, le visage poudré, fardé, peint comme celui d'une poupée, l'air d'une vraie cocotte.
Mon mari l'avait trouvé bien efféminé pour un
marin de carrière. Vraiment, il ne m'avait pas
plu. » Et sa surprise que Léon Daudet lui dise:
« Moi, madame, je mange du politicien et c'est
pourquoi j'engraisse. J'en dévore un par jour. »
Sa vie austère ne la rendait ni triste ni mélanco-
lique. — Ce sont les viveurs qui font de la délec-
tation morose — Elle devait la gaieté de son caractère autant à sa santé morale qu'à sa vigueur
d'esprit. Pourtant, elle avait dû traverser bien
des peines, éprouver bien des regrets et supporter le lot de cette vie. Pour l'avoir pris en charge,
il ne paraissait pas que ce lot l'avait écrasée. Au
contraire: une énergie, une vitalité stupéfiantes,
et aussi, un calme, une sérénité, une douceur,
une mansuétude, une aménité, et tant d'autres
qualités qu'il serait superflu d'énumérer.

Mes minces ressources pécuniaires ne me permettant pas de prolonger indéfiniment mon séjour, je dus rentrer à Montréal pour y gagner mon pain. Je ne sais comment se termina ma dernière visite, sans doute sur la promesse d'écrire. Attristé de quitter Paris, je l'étais davantage à penser que je laissais un être comme je n'en rencontrerais plus, et j'avais l'affreux pressentiment que je voyais madame de Courcy pour la dernière fois.

Quelques mois plus tard, sa fille m'écrivit que sa mère était décédée. Ainsi, cette âme, cet esprit, ce cœur avaient cessé de vivre. Ma grande amie n'était plus, ne serait plus. Je ressentis plus que du chagrin et de la peine, car le chagrin et la peine se mesurent à l'étendue de la douleur. Et c'est au cœur que j'étais atteint. Je m'agrippais à quelques raisonnements. La mort ne l'effrayait pas. Vu son âge, n'était-il pas dans l'ordre des choses qu'elle mourût? Son christianisme ne l'avait-il pas aidée à faire face à l'inéluctable? Mais tous mes raisonnements étaient réfutés par l'émoi qui m'étouffait et me faisait pleurer comme un enfant. Que faire? Déchirer cette lettre qui me déchirait? Non, plutôt relire la dernière qu'elle m'avait écrite, et retrouver ainsi madame

de Courcy, vivante, telle qu'elle le serait à jamais.

Puisqu'elle vit maintenant

... dans la solitude et le silence de sa vieillesse, pourquoi divulguerais-je son nom? Ce serait de l'impudence, et ses proches auraient raison de s'en offusquer puis de me blâmer. Que ceux qui l'ont connue soient rassurés! Mon dessein n'est pas de révéler son identité, ou, ce qui reviendrait au même, de la présenter sous le déguisement d'un personnage à clé. Je laisserai dans l'anonymat sa personne, dans l'invisible son visage, dans l'indiscernable ce qui la rendrait reconnaissable, et situerai dans l'indéfini de son passé ce qui lui advint. D'ailleurs, comme l'écrit Proust: « Les individualités (humaines ou non) sont dans un livre faites d'impressions nombreuses qui, prises de bien des jeunes filles, de bien des églises, de bien des sonates, servent à faire une seule sonate, une seule église, une seule jeune fille ». Ainsi de sa confidence, somme de ses confidences adressées à ma confiance et à mon amitié alors que je doutais par ce qui m'arrivait qu'on pût encore m'en témoigner. « Vous qui avez toujours été heureuse » lui avais-je dit. Elle m'interrompit: « Et qu'en savez-vous? » En effet, je n'en savais rien sinon qu'elle le paraîssait, ne s'étant jamais plainte de ne pas l'avoir été. « Le malheur qui vous frappe est momentané ; vous l'oublierez tandis que le mien qui a brisé ma vie dure encore ». Et sa confidence commença.

J'en rapporte ce qui est rapportable. Le malheur qui n'a pas été vécu se décrit difficilement. Elle-même cherchait ses mots pour me peindre le sien. La remontée en surface de souvenirs enfouis dans les arcanes de son cœur étouffait sa voix. À maintes reprises, elle se tut, trop émue, le regard douloureux, détournant la tête pour cacher ses larmes. Mon amitié la suppliait de se taire. Je voulais être ailleurs, loin d'elle. Et à présent que je suis loin d'elle, ailleurs, écrire ce qu'elle m'a confié m'embarrasse davantage. Emploierais-je ses mots qu'ils ne contiendraient pas la force émotionnelle qu'elle leur conférait. Pourtant, je voudrais bien que ce livre qui parle d'elle parlât comme elle, et que ses silences, ses soupirs, ses hésitations en remplissent les interlignes. Souhait irréalisable ! Il ne me reste qu'à tenter de m'élever, si possible, jusqu'à la hauteur de ce qu'elle me disait.

« Je me crus l'enfant de mes parents jusqu'à l'âge de quinze ans, alors que j'appris d'eux qu'ils m'avaient adoptée. Ils me demandaient pardon de m'annoncer pareille nouvelle le jour même de mon anniversaire. S'ils avaient tant attendu — la veille, ils hésitaient encore — c'était afin de différer le choc que je ressentirais. Trop jeune, qu'aurais-je compris? À ma majorité, il eut été trop tard. Mieux valait que ce fût maintenant et c'est pourquoi personne n'assistait à mon repas de fête qui se prît en silence, devant deux visages consternés qui n'osaient me regarder.

« Ce fut mon père qui parla. Quand il eut fini, ma mère se leva brusquement de table et sortit. Je la suivis, bouleversée, pour pleurer dans ses bras et pour qu'elle me dise que ce que je venais d'apprendre n'était pas vrai. Cette humiliation de ma naissance illégitime devait m'accabler ma vie durant. J'y pensais le matin, j'y pensais le soir, et la nuit, quand je m'éveillais. Néanmoins, je pardonnai à mes parents inconnus et remerciai Dieu de m'avoir donné un père et une mère qui m'aimaient autant que je les aimais. Ils étaient la bonté même. Je ne me souviens pas plus d'avoir été punie que de les avoir boudés. Si j'étais docile, j'avais néanmoins com-

me en a tout enfant des caprices: on me les passait en me gâtant comme seule peut l'être une
fille unique. J'étais tout pour eux qui ne vivaient
que pour moi. Ce fut le couple le plus uni que
j'aie connu ; ils s'aimaient et se respectaient, en
apparence et en réalité. Jamais, à la maison, de
ces scènes que mes amies me disaient éclater chez
elles. Mon père n'était pas homme à chercher la
chicane et la dispute. Son calme n'empêchait pas
sa tendresse. Ma mère avait plus de fantaisie,
plus d'ardeur et un vrai tempérament d'artiste.
Elle passait des heures au piano, en jouait admirablement, surtout Schumann, son compositeur
favori. La maison n'en était pas pour cela mal
tenue. Au contraire tout y luisait comme le clavier de son piano. C'est dans cette ambiance de
calme, d'affection que j'ai grandi.

« Mon éducation fut celle d'alors. Je ne sais
ce qu'enseignent les couvents d'aujourd'hui mais
ceux d'autrefois, dénigrés à tort et sans raison,
ne dispensaient pas que l'instruction religieuse,
même si cette matière était la plus importante
du programme. Ce qu'on appelait les arts d'agré-
ment: le chant, la musique, le dessin s'étudiaient
aussi. On attachait beaucoup d'importance à la
diction et au français. Quelles élèves de quelles

institutions modernes pourraient interpréter « Esther » ou « Athalie » ? Quand je pense que l'on est aujourd'hui bachelier sans se soucier de s'exprimer correctement ! Les religieuses du couvent nous proposaient l'idéal chrétien comme le plus beau qui soit, le plus difficile à atteindre puisqu'il exigeait qu'on lui sacrifiât jusqu'à notre vie ; qu'un sentiment vaut par sa noblesse, et qu'il n'y en a pas de pire que l'égoïsme ; que seule la vertu est honorable ; que Dieu nous avait créés pour toute éternité à son image et à sa ressemblance, et que les épreuves de cette vie étaient les signes mystérieux de Sa présence. Ces principes et d'autres qui les complétaient, si je les entendais formuler en classe ou à la chapelle, je les voyais pratiquer à la maison, et j'établissais un juste rapport entre ce que j'apprenais et ce que je faisais au jour le jour. L'éducation est-elle autre chose ? Dès ma jeunesse, j'eus donc une très haute idée du mariage, tant par ce qu'en disaient les religieuses que par l'exemple de celui de mes parents. En plus d'être un sacrement, il était l'union de deux cœurs amoureux. C'est ainsi que j'envisageais le mien. L'aspect charnel m'importait peu. L'essentiel était d'aimer, et tout amour était en soi sincère. C'est pourquoi je crus à celui de mon premier soupirant. Il avait vingt-

et-un ans ; j'en avais dix-huit. Pourquoi me se-
rais-je méfiée? Son amabilité me conquit. Nous
avions sur l'avenir des vues identiques, dont celle
de fonder un foyer. Il avait perdu jeune encore
ses parents, ce qui l'avait obligé à travailler pour
défrayer ses études. Il venait de réussir brillam-
ment ses examens du Barreau. Mais le plus évi-
dent de ses mérites était qu'il m'aimait. Il me le
disait. J'en étais convaincue hors de tout doute
et avec toute la certitude qu'on peut avoir quand
on a toute la vie devant soi. Ses défauts, je ne
les voyais pas ; ses qualités me les cachaient. Mes
parents le traitaient comme leur fils. Jamais, au
grand jamais, ils ne lui auraient reproché sa pauvreté. Moi-même, à force de les entendre répéter
que « pauvreté n'est pas vice », j'en concluais,
par charité chrétienne, faiblesse de raisonne-
ment, inexpérience de la vie, qu'elle est vertu.
Et puis, mes parents avaient de la fortune. Et
avec ma dot, je l'aiderais à s'établir, car il refusait
de se joindre à l'importante étude où, par ses
relations, mon père eût pu le faire entrer. « Il
faut que je me sente libre comme l'air » disait-il.
Je ne veux pas que tu sois la femme d'un quel-
conque avocat mais d'un grand maître ». Pareille
ambition m'honorait, me flattait.

« Nos fréquentations durèrent moins d'un an, ce qui, à l'époque, et l'on se mariait jeune, était normal. Mon père hésitait toutefois à m'accorder son consentement ; j'en avais besoin puisque j'étais mineure. Il s'y résigna, mais sur les instances de ma mère, non sans s'être cru obligé, en conscience, de révéler à mon fiancé que j'étais une enfant naturelle. Voulait-il ainsi mettre à l'épreuve les sentiments de son futur gendre? Celui-ci, de toute façon eût su la vérité, car l'extrait de baptême à produire au contrat de mariage faisait état de ma naissance illégitime. Cette mention odieuse, et bien révélatrice de la lâcheté d'une société qui imputait à l'innocence de l'enfant la faute des parents, n'est heureusement plus requise. Mon fiancé ne se formalisa nullement de ce qu'il apprit, il en plaisanta, disant qu'après tout, Jésus aussi était un enfant naturel. « Ne répétez jamais ce blasphème, dit mon père scandalisé. Vous avez peut-être l'esprit juridique mais vous ne l'avez pas chrétien ». Toujours, par la suite, mon mari parla avec déférence et respect des choses de la religion. Le langage lui en était familier puisqu'il avait étudié dans un séminaire. Ce que ni lui ni personne ne surent alors fut la lettre anonyme que je reçus quelques jours avant mon mariage et qui avait été écrite sur l'endos d'un faire-part. Je me la rappelle encore. « Votre fiancé s'amuse avec des prostituées. Quand il sort de chez vous, le soir, au lieu de rentrer chez lui, il se rend à un hôtel mal famé dont voici l'adresse ». La lettre était signée: « Une amie qui veut votre bonheur ». Ce fut mon premier contact avec la méchanceté humaine, qui, semblable à cette lettre, s'exerce toujours sous le couvert de l'amitié, car ce sont nos amis qui nous jugent, nous condamnent et nous perdent autant par leurs médisances que par leurs calomnies. Mais le contraire aussi est vrai, puisque ce sont nos amis qui nous apaisent, nous aident, nous soutiennent, nous consolent et nous sauvent du déshonneur. De même que je n'avais pas voulu croire à ma naissance illégitime, je ne pouvais croire qu'une amie, invitée à mon mariage, pût être, au nom de mon bonheur, si méchante. Je ne cherchais pas à savoir qui. Sa lettre, en tout cas, manquait son but puisque le mariage eut lieu. Les chroniques mondaines le relatèrent en long et en large. Le Tout-Montréal y assistait. Des cadeaux que je reçus, je me demandais quel était celui de l'auteur de la lettre anonyme ; le plus beau, peut-être, celui qui cachait le mieux son infamie. Et ce fut mon voyage de noces.

« Je dois, au préalable, avouer que j'ignorais tout de la sexualité. J'en ignorais même le nom. Ni à la maison, moins encore au couvent, le sujet en était mentionné, non pas qu'il fût tabou : il n'existait pas. Il faut pour me comprendre se reporter aux années de l'avant-première grande guerre. Le nu ne courait pas les rues et ne s'étalait pas sur les plages ; le cinéma n'en faisait pas de gros plans, et la mode le surhabillait, car il était synonyme d'indécence. Qui osait se décolleter était montré du doigt. Nos manuels de sciences naturelles ne contenaient aucun chapitre sur l'anatomie. L'un de mes oncles, qui avait rapporté de Paris une édition illustrée des « Fleurs du Mal », causa un beau scandale. La morale de l'époque était rigoureuse et personne n'en moquait les règles. Au couvent, l'élève soupçonnée du moindre dévergondage était passible de renvoi. J'ai su que dans les collèges de garçons, il en était tout autrement. Dans son orgueil de petit mâle, quel adolescent, surtout s'il est beau, ne s'adonne, à son corps défendant ou provocant, au plaisir solitaire et à l'homosexualité, ne serait-ce que provisoirement ! Il a de la sexualité une expérience que ne peut avoir une couventine élevée par des religieuses. J'arrivais donc intacte au mariage. Ma virginité méritait quelque ménagement. Or, mon mari voulut tant s'assouvir à ma chair qu'il la blessa. Un bûcheron ne viole pas autrement que je le fus une jeune fille égarée en forêt. Égarée, je l'étais dans le lit nuptial, parquée là, telle une bête, pour qu'on la monte. Une hémorragie me fit perdre connaissance. Le médecin de l'hôtel fut mandé d'urgence. Le lendemain, en m'éveillant, je vis mon mari qui avait l'air furieux. « On ne t'a donc pas appris à faire l'amour? » me demanda-t-il avant même que je lui dise bonjour. Comment répondre à sa question? Je fis semblant de n'avoir rien entendu. « Es-tu sourde et muette? En ce cas, à bientôt ! » Il sortit en claquant la porte. Que ma vie eût été différente s'il était parti pour toujours ! C'est ce que je me suis dit longtemps après, mais, ce matin-là, ce n'est pas ce que je me disais. L'homme qui m'avait parlé si grossièrement était-il le même qui, la veille encore, jurait devant Dieu de m'aimer toujours? Je voulais oublier comme un cauchemar la violence avec laquelle, la nuit précédente, il était entré en moi. Toutefois, ses paroles, les premières qu'il m'adressait depuis que j'étais devenue sa femme, pouvais-je les oublier? Non, je n'avais pas appris, selon son langage, à faire l'amour. S'attendait-il à ce que mon comportement fût celui d'une courtisane? La lettre anonyme me revint en mémoire. Elle n'était peut-être pas mensongère. Ce qui était vrai, c'est que le corps de mon mari, en s'abattant sur le mien, ne m'avait pas que déchirée ; mes sentiments étaient atteints ; mon affection ravalée. Je me posais d'épouvantables questions auxquelles je n'osais répondre. Non, je n'avais pas le droit de douter que mon mari m'aimait comme je l'aimais. Il reviendrait ; nous nous expliquerions. Je lui pardonnerais ; je lui avais déjà pardonné. J'attendis qu'il revînt. Que faisait-il? Où était-il? Si le médecin ne m'avait interdit de me lever, je l'eusse cherché, trouvé, ramené. Durant les trois jours que je gardai la chambre, ce que j'ai pu pleurer ! ce que j'ai pu prier pour qu'il revienne ! Je commis mes premiers mensonges, d'abord en télégraphiant puis en téléphonant à mes parents pour leur dire que j'étais heureuse. Ils ne reconnurent pas ma voix. Je me forçais à rire. Je ne pus contenir un sanglot. « C'est une quinte de toux, » leur disais-je. Ils voulurent parler à mon mari. Je me serais fait tuer plutôt que d'avouer que j'en étais sans nouvelles. Je répondis qu'il était sorti mais qu'il les rappellerait en rentrant. Jamais téléphone ne me parut si long, si pénible. Mes humiliations commençaient, car c'est de la femme de chambre que j'appris que mon mari occupait une suite voisine de la mienne. « Quel homme délicat ! s'exclama-t-elle. « Il ne voulait pas vous déranger. Ce ne sont pas tous les maris en voyage de noces qui se priveraient de coucher avec leur femme parce qu'elle ne se sent pas bien. Vous êtes une chanceuse. » Elle me parlait de lui quand il arriva, souriant. Il vint m'embrasser sur le front. « Que je suis content ! disait-il. Tu as vraiment bonne mine. J'ai d'ailleurs averti le médecin qu'il aurait de mes nouvelles s'il ne te remettait pas sur pieds. Je lui ai dit: Docteur, c'est à l'avocat que vous aurez affaire si ma femme ne va pas mieux ». Que j'étais heureuse de le voir de si belle humeur ! comme si rien de fâcheux ne s'était passé entre nous. Il avait fait réserver à l'opéra deux fauteuils d'orchestre. Ce serait ma première sortie. Aussi longtemps que la femme de chambre fut là, il me parla sur le ton enjoué qu'il avait quand nous étions fiancés, mais dès qu'elle sortit, il me dit sèchement: « L'opéra, moi, ça m'ennuie. Vas-y si tu veux ». Je lui demandai de téléphoner à mes parents, leur ayant promis qu'il le ferait. « J'espère que tu n'as pas trop parlé? » Je répondis: « Non, ils me croient au comble du bonheur ». Il reprit: « Félicitations, tu es plus intelligente que je le croyais » et il téléphona. Ce fut pour les remercier de lui avoir donné la femme idéale, une perle, disait-il. Il leur annonça que nous songions au retour. Peut-être rentrerions-nous le lendemain, car il avait une importante cause à plaider. J'écoutais, scandalisée de l'entendre mentir avec tant d'assurance. J'en rougissais pour lui. Il ne cessait de leur faire mon éloge. Je n'étais pas une femme mais une fée. Son seul regret était de ne m'avoir pas épousée l'année précédente. « Pendant que je vous parle, elle me couvre de baisers. Et c'est pourquoi je suis obligé de raccrocher » ce qu'il fit en poussant un soupir que par sa sonorité mes parents crurent sans doute un baiser. « Nous partons demain, me dit-il. J'en ai soupé de cette lune de miel ». Je ne le revis que le lendemain, à l'heure du départ. Voilà ce que fut mon voyage de noces et voici ce qu'allait être ma vie conjugale.

« Mon enthousiasme de jeune mariée s'effondra. La religion, mes parents, mon éducation, tout, oui, tout m'avait convaincue que le bonheur consiste à aimer ; que le cœur ni ne ment ni ne se trompe ; que le mariage est sacré, et que ses liens sont indissolubles. On ne m'avait donc enseigné que des chimères et des folies, car com-

bien différente était la réalité ! J'aimais et j'étais
malheureuse, moi qui m'imaginais que l'amour
de mon mari serait égal au mien ; que l'affection,
la tendresse et tous les sentiments qui les for-
ment seraient échangés, partagés. Quel beau rê-
ve ! Je me réveillais face à un homme qui me con-
sidérait comme la servante de ses appétits
sexuels. Je faisais partie du mobilier de la chambre à coucher, tel un vase de nuit. Était-il possible que le fiancé si respectueux, si poli, si con-
ciliant, si paisible, fût le mari si chicanier, si méprisant? Ses reproches se résumaient en un seul:
j'étais riche, et lui: pauvre. Pourtant, il dispo-
sait de ma dot comme il l'entendait et sans comp-
tes à rendre ; il ne me serait jamais venu à l'idée
d'en exiger. Il s'en prenait à mes parents qui,
prétendait-il, s'étaient enrichis à force de voler
alors que les siens étaient morts de misère. Il
m'accusait de l'humilier quand je lui remettais
un chèque. « Ma femme me fait l'aumône comme
à un mendiant ». Il ne cessait de me tourmenter
pour que je fasse dresser un autre contrat de mariage qui ne le léserait pas. C'est mon père qui
avait décidé que nous nous marierions sous le
régime de séparation de biens. Tout de la maison
m'appartenait et j'en étais la seule propriétaire.
C'était, disait-il, un contrat injuste qui le mettait

sous ma dépendance. Je n'entendais rien à ces
questions contractuelles. Lui qui était avocat,
que n'en discutait-il avec le notaire de mon père?
Cette suggestion m'attirait de sa part un redou-
blement d'injures. Mes parents n'étaient guère
épargnés. Il en pensait pis que pendre. C'étaient
de petits bourgeois, des parvenus mesquins, et
sots par surcroît. Ma mère? Une pécore assom-
mant tout le monde avec sa musique. Quand il
la voyait au piano, ce qu'il avait envie de lui ra-
battre sur les doigts le couvercle du clavier ! Et,
sur son tabouret, pouvait-elle avoir l'air bête !
Mon père n'était pas mieux traité. Avait-il assez
barboté dans des transactions ! Il puait l'argent.
Et puis, sa tête de cocu, de faux dévot, et, comme
ma mère, bête à manger du foin ! Le joli couple !
Pour un chasseur, le beau coup de fusil ! Leur
impuissance génésique ne les avait-il pas obligés
de m'adopter? Car il en revenait toujours à ma
naissance. La tête que feraient les gens en apprenant d'où je sortais ! Je me taisais. Mais, une
fois, excédée de me faire appeler bâtarde, je ré-
pliquai, non sans trembler de peur, et il m'en
fallut du courage, n'ayant jamais eu la parole facile, ce qui m'avait obligée à préparer mes phrases: « Ma naissance que tu me reproches, lui dis-
je, ma fortune que tu partages, ne t'ont pas em-

pêché de me demander en mariage à ces mêmes
parents qui, aujourd'hui, t'écœurent. Oublies-tu
que nous vivons de leur argent ! » Il pâlit, resta
interdit, stupéfait de m'entendre lui parler sur
ce ton. Je soutins son regard qui était de feu.
Nous n'étions qu'à quelques pas l'un de l'autre.
Il marcha sur moi, la main levée. « Malheur à
toi si jamais tu me frappes » criai-je. J'étais ten-
due à en perdre connaissance. Il s'arrêta net,
puis, sans me regarder, s'en alla. Il fut quinze
jours sans m'adresser un seul mot. J'avais cessé
non seulement d'être sa femme mais d'exister.

« Pour ajouer à ma confusion, à mon dé-
sarroi, son attitude changeait du tout au tout dès
que nous n'étions plus seuls. Ce n'était alors à
mon endroit que respect, tendresse, éloges. J'é-
tais la première étonnée de me faire la complice
de son comportement en modelant mon attitude
sur la sienne. Je souriais à ses sourires, me prêtais à ses câlineries. Et ses compliments abondaient, bien tournés, dits sur un ton de sincérité
dont tout le monde était dupe. Et quand nous
recevions, il n'y avait pas d'hôte plus parfait ; il
jouait à l'empressé, s'émerveillait à des propos
banals, vantait l'originalité de qui les lui tenait.
Toute femme, fût-elle la plus laide, était belle.

Tout homme, fût-il le plus sot, était intelligent. Il passait pour aimable, charmant. « Vous êtes comblée, me disait-on, d'avoir un mari tel que lui ». On enviait notre bonheur et on nous en félicitait. C'est surtout devant mes parents qu'il se montrait sous son jour le plus beau, c'est-à-dire le plus faux. Il les entourait d'égards, d'attentions. Quel comédien c'était ! Peut-être, au lieu de pratiquer le droit, eut-il dû se consacrer au théâtre tant il en avait l'instinct, car son jeu, il savait le modifier selon les personnes et les circonstances. Était-ce de l'hypocrisie? À mes yeux, c'en était puisqu'il déguisait son véritable caractère et ses sentiments. Mais n'étais-je pas hypocrite aussi en déguisant mon attitude et en imitant la sienne? Sans doute, avais-je une excuse ; j'obéissais à la nécessité de sauver les apparences, et de les sauver par amour-propre, laissant croire que rien n'assombrissait notre vie conjugale, que tout en était radieux, grâce à lui, grâce à moi. « Vous avez un mari qui vous gâte » me dit-on lorsqu'à l'anniversaire de notre mariage il m'offrit un manteau de vison. Ce qu'on ne savait pas, c'est que le lendemain, c'est à moi que le fourreur adressait la facture. Que de cadeaux ainsi offerts et que je payais !

« Il menait grand train de vie à même ma dot qui s'épuisait. Entretenait-il une maîtresse? J'en doute. Un mari infidèle, surtout s'il n'aime plus sa femme, feint de l'aimer davantage. Celle avec qui il la trompe a tout intérêt à ce qu'il en soit ainsi. Or jamais mon mari ne simula de m'aimer. Fréquentait-il des maisons closes? C'est un soupçon sur lequel je ne m'attardais pas. Je le connaissais assez pour savoir qu'il s'en serait vanté, question de m'humilier plus encore. Non, il vivait en somme comme un célibataire. Je ne le voyais que le soir. Le matin, il était à son bureau, y travaillait un peu. Il tenait assez à sa réputation d'avocat mais son bureau ne lui rapportait guère. Les après-midi, il les passait à son club, jouait au bridge, au golf, à quelque sport. Il ne rentrait à la maison que pour le dîner. S'il paraîssait de mauvaise humeur, et il l'était presque toujours, j'évitais de lui parler. Il s'enfermait au boudoir, fumait, écoutait la radio, lisait. Moi, pour tromper ma solitude que sa présence rendait encore plus lourde à supporter que lorsque j'étais seule, je me mettais au piano, mais n'avais guère le cœur à la musique. Je rejouais les mêmes morceaux, escamotant des notes, lisant mal, me trompant de mesure. Lui, pour ne pas m'entendre, venait fermer bruyamment la porte du salon. Durant le jour, je m'occupais à des travaux domestiques. Sans être démesurément coquette, j'avais toujours soigné ma tenue. Je me négligeai. Quelqu'un entré à l'improviste m'eût pris pour une femme de ménage. Ce n'est pas le fait de m'agenouiller pour laver les planchers qui m'humiliait mais de le faire pour tuer le temps, et surtout pour ne pas penser. Sortir, recevoir m'ennuyaient. L'effort que je dépensais à paraître autre que je n'étais me donnait des migraines et des insomnies. Ma mère tenait absolument à ce que j'aie une servante. Je ne voulais pas qu'une étrangère fût témoin de ma vie. Ce qui m'inquiétait, c'était à tout moment, et sans causes, mes crises de larmes. Devenais-je neurasthénique? Je pensais souvent au suicide comme à une délivrance. Plutôt mourir que de vivre lasse, découragée, sans espoir, l'âme en peine. Vint un temps où j'eus nausées sur nausées. Je consultai un médecin, ce que mes parents affolés de ma pâleur me conseillaient depuis des mois. J'étais enceinte. Mon mari, en apprenant la nouvelle, me regarda fixement, sans joie, sans haine. Ce n'est que lorsque mes parents accoururent qu'il me fit fête. Il allait être père. « Il n'y a pas, disait-il, de plus grande joie au monde. » Il fallait célébrer l'événement au champagne. Mais le

champagne, dans l'état où j'étais, m'était peut-
être interdit. Il téléphona au médecin pour s'assurer du contraire. Là, toutefois, où il fut pris
au dépourvu, ce fut lorsque ma mère lui dit
qu'elle m'emmenait, le soir même, car il était im-
prudent que je sois seule tout le jour dans une
maison où, dans un escalier, je pourrais faire
une chute.

« Chez mes parents, une période de bonheur
inespéré commença. Je repris espoir et confiance.
Si j'avais été une épouse malheureuse, je serais
une mère heureuse. Le bonheur restait possible
puisque ce que je sentais remuer en moi serait
ma raison de vivre. De nouvelles illusions rem-
placèrent les anciennes. La naissance de mon enfant me ferait renaître. L'accouchement faillit
cependant me coûter la vie. Il ne s'agissait plus
de mourir mais de vivre, et de vivre non pas
pour moi mais pour mon enfant. Il aurait, lui,
une mère qui ne l'abandonnerait pas comme je
l'avais été. Il ne rougirait pas d'être ce que j'étais.
Mes relevailles qui furent longues me parurent
courtes. Le temps chez mes parents passait si
vite. Il me semblait que je revivais ma vie de
jeune fille. Les visites de mon mari m'en donnaient l'impression. Ma mère avait insisté pour

qu'il vînt dîner tous les soirs. Il ne cessait de répéter que son enfant était le plus beau de la terre.
« Comment ne le serait-il pas, quand on a une
mère comme votre fille » disait-il à mes parents.
« Il a ses yeux, sa bouche. Je suis certain qu'il
aura sa douceur. » Dans sa joie d'être grand-
père, dans celle aussi de me voir survivre et reprendre des forces, mon père fit à son petit-fils
un legs plus considérable encore que ne l'avait
été ma dot, et chargea mon mari du soin de le
gérer. Il me donna en secret de quoi payer pour
des années à venir une bonne d'enfant. C'est avec
elle et mon bébé que je retournai à la maison.

« Cette femme un peu brutale et sans instruction s'attacha autant à l'enfant qu'à moi. Ma
vie de tous les jours fut sans secret pour elle qui
devint une compagne. Pourtant, je ne lui révé-
lais aucun de mes sentiments conjugaux ; elle les
devinait grâce à l'intuition de son cœur simple.
Le fait aussi de n'avoir pas à subir de destin particulier contribua à lui faire partager le mien.
Dans cette grande maison où j'avais été si seule,
si misérable, je ne l'étais plus. Il y avait l'enfant
et il y avait elle. Si, les premiers mois, mon mari
me traita bien, se contint et m'épargna ses colères, ce qui devait arriver arriva. Une dispute

éclata, suivie, le jour d'après, d'une autre. L'habitude de chicaner le reprit. La présence d'une servante l'irritait. Il la prit en grippe, menaça de la chasser mais n'en fit rien parce qu'il craignait qu'elle ne racontât tout à mes parents, à ma mère surtout qui avait été sa bienfaitrice. Il en vint à l'injurier. Comme elle ne le redoutait aucunement — son mari mort d'avoir trop bu la battait — elle répondait à ses injures par des injures. Il me fallait souvent intervenir, partialement pour mon mari qui m'accusait de la monter contre lui. « Si tu ne la mets pas à la porte, c'est moi qui m'en irai. Toi et ta boniche, vous faites bien la paire ». Il n'était pas question que je la chasse. Néanmoins, son audace la rendait effrontée. Elle lui disait: « Je ne suis pas votre femme, moi. Je ne me laisserai pas manger la laine sur le dos. Ah ! si vos beaux-parents savaient ce qui se passe ici, vous n'en mèneriez pas large ». Mon mari avait beau lui dire de se taire, elle ne se taisait pas. « C'est un ordre », disait-il. Elle éclatait de rire. « Un ordre? Je n'ai d'ordre à recevoir de personne ». Ses répliques exaspéraient mon mari habitué à toujours avoir le dernier mot. Non, jamais je ne me serais séparée d'elle qui ne comprenait pas mes chagrins mais qui savait que j'en avais. Il existe entre femmes une solidarité qui tient du cœur. La vanité peut nous rendre rivales, ennemies, mais la pitié qui constitue le fond de notre mentalité nous rallie toujours. « Que je vous plains d'avoir marié cet homme-là !, » disait-elle quand nous nous retrouvions seules.

« Je me trouvais aussi à plaindre et je me plaignais, mais en silence, bien que je fusse tentée de le faire ouvertement. Illusionnées par les apparences de mon mariage, des amies me demandaient parfois comment s'y prendre pour retenir leur mari au foyer. J'inventais des recettes semblables à celles que publient les courriers du cœur et que j'étais la première à juger insensées. Je me serais trahie en leur disant de se consoler comme elles le pouvaient. J'étais trop bonne catholique pour leur suggérer le divorce. Moi-même, si je pensais à une séparation de corps, c'était comme à quelque chose d'irréalisable, surtout depuis que j'avais un enfant. Tant que vécut mon mari, l'orgueil, la fierté, la dignité, la crainte du scandale, et bien d'autres considérations, dont celle du ridicule, me retinrent de confier à quiconque mes afflictions. Elles eussent été tôt ou tard connues par la société qui s'en serait amusée, soit pour alimenter ses potins, soit pour me donner tort. Je m'en tenais au conseil de mon directeur spirituel selon qui toute vie a son Calvaire. « En gravissant le vôtre, tenez les yeux fixés non pas sur cette terre monstrueuse mais sur le ciel immense du bon Dieu. Sur votre chemin, quelqu'un vous aidera à porter votre croix, car même le Christ trouva un Simon pour l'aider à porter la sienne ». Ce quelqu'un, ce fut ma servante. Et si elle repose aujourd'hui au cimetière où sont mon père et ma mère, c'est que l'affection qu'elle me témoigna la rendit digne de partager leur sépulture. Il y a des liens plus forts que ceux du sang ; ceux qui m'unissaient à mes parents adoptifs, comme ceux qui m'unissaient à ma servante. Elle s'acquittait à merveille des travaux domestiques, en plus d'élever un enfant. Je la rémunérais, mais ce qui ne se rémunère pas, c'est le désintéressement, la compassion, la commisération, mot désuet, dont l'époque qui ne la pratique plus a perdu le sens. Cette commisération lui était commandée par une sorte d'affection instinctive, animale, qui lui faisait deviner mes sentiments mieux que n'en étaient capables mes amies les plus intimes et les gens qui passaient pour intelligents. J'eus l'occasion d'en avoir la preuve lorsqu'un camarade de mon mari venu à la maison pour le chercher et ne le trouvant pas me vanta ses qualités. C'était un religieux très demandé, conférencier couru, mondain évidemment, et dont on disait qu'il était fin psychologue. Pour ma part, je n'aimais guère sa suavité qui était peut-être le secret de son succès auprès des femmes. Néanmoins, je supposais que l'habitude du confessionnal et de la direction spirituelle le rendait apte plus que quiconque à déceler les êtres. Je le mis au courant de ma vie conjugale. Il m'écouta sans me croire. « Mais non, mais non » répétait-il « ce n'est pas possible. Je connais ton mari depuis longtemps. C'est un sensible, un affectueux, un timide. Il est susceptible, mais ce défaut n'est rien. Ma pauvre enfant, comment peux-tu en parler comme cela? Il me disait récemment encore que sans toi, il serait malheureux comme les pierres. Méfie-toi de l'imagination : elle est la folle du logis. Ne sois pas plus folle qu'elle. Souviens-toi de ce que La Rochefoucauld en a dit : « On n'est jamais aussi heureux ou malheureux qu'on s'imagine ». Voilà tout ce que trouva à me dire quelqu'un d'éclairé, d'intelligent, d'instruit ; un connaisseur des âmes et du monde. Quelle candeur ! S'imaginer qu'une maxime de moraliste me consolerait de ma peine alors que la plus belle musique ne m'en distrayait même pas une seconde ! Il est vrai que la psychiatrie n'était pas alors à la mode et n'avait fabriqué ni de clés aux songes ni de recettes au bonheur. La présence d'une personne aussi simple que ma servante adoucissait l'amertume de ma vie. Grâce à elle, la vie quotidienne me devint supportable. Et puis, il y avait aussi l'enfant. Je l'élevais comme je l'avais été. En grandissant, il ressemblait de plus en plus à son père. Je me promettais bien de ne pas en faire un monstre d'égoïsme qui rapportât tout à soi. Ses traits annonçaient déjà le même caractère. Son regard était aussi étrange et de la même étrangeté. Le posait-il sur moi que je ne savais si c'était par affection, soupçon, indifférence. Les enfants, en général, aiment qu'on les dorlote et cajole. Ils viennent se jeter dans nos bras pour se faire bercer et embrasser. Il n'avait aucun de ces élans de gentillesse qui leur sont si naturels. Il me fallait le prendre de force pour l'asseoir sur mes genoux. Si je le serrais contre moi, je le sentais se contracter, se raidir, se refuser à tout abandon. Il avait bien, comme tout enfant, des chagrins subits. C'est alors qu'il devenait le plus farouche. Quand je le punissais de ses désobéissances, il trépignait de colère puis boudait non pas pendant quelques minutes mais durant des heures. Il allait se coucher sous un lit, derrière un meuble, dans un placard. J'avais beau l'appeler, il ne répondait pas. Nous nous mettions à deux, la servante et moi, pour le chercher. En présence de son père, c'était un agneau. S'il le craignait, il l'aimait aussi. Pourtant, il ne le voyait que peu, le matin, au déjeuner, et le soir, au dîner. Avec son don de mimétisme, mon mari savait être aussi un enfant. Il en adoptait le langage, disait des contes à émerveiller son fils qui l'écoutait, transporté d'admiration pour un père qui s'était battu contre des loups dans des forêts imaginaires, le protégeait de la fée Carabosse, et le promenait dans des carrosses d'or. Mon mari fut pour l'enfant jusqu'à ses sept ans un enchanteur. Là, tout changea.

« Sa première journée d'école fut un drame. La directrice du Jardin d'enfants me téléphona vers les quatre heures de l'après-midi pour que je le ramène. Il n'avait cessé, en classe, au réfectoire, à la récréation, de pleurer à chaudes larmes. Du plus loin qu'il me vit, il accourut, me saisit le bras et m'entraîna vers la sortie. Que s'était-il passé? L'un de ses camarades, plus âgé peut-être, plus fort, l'avait-il battu? malmené? Les enfants sont si cruels les uns aux autres. Son visage ne portait aucune marque de morsure ou de coup de poing. Et ses yeux rougis l'étaient de pleurs. Je l'interrogeai ; je ne pus rien en tirer, sauf qu'il répétait qu'il ne retournerait jamais plus à l'école. À la maison, il fit une véritable crise de nerfs, et lança sur les murs du salon un vase de Sèvres. Sur ces entrefaites, son père arriva, mais ne réussit pas à l'apaiser. Il tremblait, frissonnait, claquait des dents. Il lui fallut un calmant. Il s'endormit, mais le lendemain, il se réveilla avec une forte fièvre, dont le médecin ne parvint pas à diagnostiquer la nature. Il divaguait. Nous étions aux abois. C'était pitoyable de le voir, de l'entendre. Il ne reconnaissait personne. Allait-il mourir? J'eusse donné ma vie pour sauver la sienne. Il m'appelait sans cesse. Je lui disais en lui tenant les mains que j'étais là mais il n'en continuait pas moins de m'appeler, surtout la nuit, car le jour, il dormait un peu. J'en profitais pour me reposer sans toutefois fermer l'œil. À tout moment, je me levais pour aller à sa chambre. Mes parents venaient plusieurs fois par jour prendre de ses nouvelles. Je ne savais réellement pas ce qui se passait à la maison. C'est la servante qui s'occupait de tout. Je me faisais l'effet d'être somnanbule, allant et venant de ma chambre à celle de mon enfant dont finalement la fièvre tomba. J'étais à bout de forces, avec, au côté droit, une douleur lancinante. Je dus m'aliter. Ce fut à mon tour d'être malade. Ma mère s'installa à la maison et fit pour moi ce que j'avais fait pour mon fils ; elle veilla, s'inquiéta. Je distinguais vaguement son visage. La fièvre de mon fils avait-elle été contagieuse? Mon mal offrait les mêmes symptômes. Je préférais tenir les yeux fermés car les ouvrir rendait mes maux de tête plus douloureux. J'entendais des voix, répondais par des propos qui ne devaient guère avoir de sens. Je parlais à des ombres ; celle de la mort dut rôder autour de mon lit. Je fus plusieurs jours inconsciente de ce qui se passait, puis, un matin, tout mal avait disparu. J'ai souvent par la suite comparé la maladie de mon enfant à la mienne. Un même médecin nous avait soignés mais qui n'attachait nulle importance à cette similitude que je lui signalais. Elle était due, selon lui, à un simple fait du hasard. Curieux hasard dont les effets allaient tout bouleverser, car c'est après sa maladie que l'attitude de l'enfant envers son père autant qu'envers moi changea du tout au tout. J'eus son affection ; mon mari, son aversion, puis son mépris, et peut-être sa haine. Je le surprenais à me regarder avec tendresse et le voyais regarder son père avec sévérité. Je dirai plus: il cessa de lui ressembler même physiquement. À quoi attribuer ce si profond changement? En étais-je la cause? Avais-je dans un excès de fièvre prononcé à l'endroit de mon mari des paroles malveillantes et que l'enfant avaient entendues? Mes parents qui les avaient entendues n'en continuaient pas moins d'estimer leur gendre. Pour eux, mes paroles n'étaient que divagations, élucubrations imputables à la fièvre. L'enfant, lui, en avait retenu l'affreux et y croyait. Un enfant est à jamais marqué par ce que disent et font ses parents ; leurs moindres disputes lui sont des tragédies, et il n'y a pas de spectateur plus attentif ; il les entend, les observe et son innocence les juge. Mon fils évitait donc son père qui s'en aperçut sans chercher à lui en demander la raison, et pour cause puisqu'elle était subconsciente, comme celle qui le faisait se rapprocher de moi. Il était aussi retourné à l'école comme s'il ne se souvenait pas de ce qui s'était passé à la rentrée. Il était un bien mauvais écolier. La directrice le trouvait rêveur, distrait. « On ne sait pas ce que pense sa petite tête » m'écrivait-elle. Être dernier de classe lui était égal. Ses bulletins médiocres, je n'osais les montrer à mon mari qui en lut un. Ce fut la première fois qu'il lui parla durement. Il obtint de justesse le certificat qui lui permit d'entrer au collège. « Il est grand temps que je te prenne en main » lui dit son père. « Ta mère t'a trop gâté. Je ne veux pas faire de toi une femmelette. C'est moi désormais qui m'occuperai de tes études. » C'est ce qu'il fit, à ma plus grande appréhension, car il n'avait aucune patience ; une mauvaise réponse, un problème mal résolu le fâchaient. Ce qui surtout l'exaspérait, c'était l'impassibilité de son fils, le traitât-il d'idiot, et qui n'étudiait pas plus au collège qu'à l'école. Ni le latin, ni le grec ne l'intéressaient. Peut-être les lui enseignait-on mal. Il écopait de pensums ridicules comme celui d'apprendre par cœur cent vers de Virgile, d'Homère. Son père les lui faisait réciter. Il n'y avait pas meilleur moyen de le dégoûter des études. Je vis ses professeurs : des Jésuites. Je m'attendais à rencontrer sinon des humanistes, à tout le moins des éducateurs puisqu'ils en ont la réputation. Ceux à qui j'eus affaire me parurent à peine intelligents. Ils reprochaient à mon fils de ne pas s'intéresser à ses études ; mais les lui rendaient-ils intéressantes? Je ne doutais pas qu'ils fussent de bons religieux ; cependant, combien ternes ! À les entendre, mon garçon était une tête chaude. Il y avait en lui du rebelle, plus qu'on ne l'est d'habitude à son âge. Il était insensible aux remontrances et aux punitions. Peut-être lisait-il de mauvais livres? Son influence sur ses camarades n'était pas bonne. Si seulement il étudiait un peu, il serait premier de classe. En effet, il se préoccupait plus de hockey, de ski, de tennis, de natation que de remporter des prix. Il était nul en excellence comme en diligence. Il ne montait de classe que parce qu'il obtenait le minimum requis. Aux examens de fin d'année, la même question revenait: les réussirait-il? Échouerait-il? Son père enrageait. Je craignis qu'au plus fort de leurs disputes, ils n'en vinssent aux coups, car si mon mari était violent, mon fils l'était davantage. Les sports l'avaient rendu physiquement très fort. Un jour, pour je ne sais quelle réponse insolente, son père le gifla, mais recula épouvanté par le regard qui lui fut lancé. Ils ne se parlèrent plus. Leurs scènes cessèrent, mais mon mari recommença celles qu'il me faisait, les premiers temps de notre mariage. Cette fois, ce n'était plus l'argent qui en était le prétexte, mais notre fils. C'est moi, disait-il, qui l'avais dressé contre son père. « Quelle maison ! J'ai contre moi mon propre fils, ma femme et la servante. » Il reprit sa menace, si son fils ne lui demandait pardon, de lui dire la vérité sur ma naissance. J'étais dans les transes. Comment réagirait mon

fils en apprenant que sa mère était bâtarde?
Je le suppliai au nom de l'amour que j'avais
pour lui de demander pardon à son père. Pour
l'avoir menacé, ne devait-il pas faire les premiers
pas? Je tremblais de ce qu'il dirait, car mon mari
écoutait derrière une porte. Ce qu'il me répondit
fut pire que tout ce que j'appréhendais. « Je le
hais trop pour lui demander pardon ». Ce fut
comme si la maison s'écroulait. Mon mari allait-
il surgir? Il ne se montra pourtant pas et je ne
le vis de la journée. Cependant, la nuit, dans notre chambre, une scène éclata, la plus violente
de toutes celles que j'avais vécues. Ce n'étaient
pas des paroles mais des cris. Ce n'étaient pas
des injures mais des grossièretés. Et l'affreuse
vérité fut dite. Je devins à mon tour démentielle
et dis à mon mari que notre fils qui savait maintenant qui j'étais saurait aussi quel hypocrite
était son père ! Je fus saisie à la gorge ; mon mari
m'étranglait ; j'appelai au secours. La porte de
la chambre s'ouvrit, mon fils parut à demi-vêtu,
et, se jetant sur son père, lui asséna un tel coup
de poing qu'il dut lâcher prise, étourdi, chance-
lant, puis, en tombant, s'assomma sur une table
de fer. « Sauve-toi au plus vite, dis-je à mon fils ;
s'il reprend connaissance, il serait capable de te
tuer ». Oui, ces paroles m'échappèrent, mais

dans ma terreur, je n'en trouvais pas d'autres. Je pensais devenir folle. Je mis une heure à rejoindre le médecin. Je savais pourtant son numéro de téléphone par cœur. Il vint pour constater que dans sa chute mon mari s'était fracturé le crâne. Au petit matin, une ambulance l'emportait à l'hôpital.

« Il fut deux jours inconscient ; je les passai à son chevet. Mon fils était parti sans laisser d'adresse. Comment le rejoindre pour lui dire de revenir? L'état de son père était désespéré, sa mort, une question d'heure. En effet, il ne pouvait parler. Des pansements entouraient sa tête et son front. Un moment, il parut me reconnaître. Je lui pris les mains. Je vis qu'il pleurait. Et moi donc ! Ses lèvres remuaient. Ce qu'il voulait me dire, Dieu seul l'a su, car il tomba dans le coma et ne reprit plus connaissance. Quant à moi, si jamais vous écrivez ce que je viens de vous conter, je veux que vous me citiez mot à mot à la toute fin de ma confidence, même si vous ou vos lecteurs en restez perplexes. « Jamais, vous entendez, jamais, pas un instant, de toute ma vie, je n'ai cessé d'aimer mon mari. Je vous demande de n'ajouter rien d'autre et surtout pas d'explication. »

Table des matières

Achevé d'imprimer sur les presses de

Ateliers des Sourds (Montréal) inc.
le 29 novembre 1971